# Navegando 3

## Workbook

**EMC**Paradigm Publishing

Saint Paul, Minnesota

**Product Manager**
James F. Funston

**Associate Editor**
Alejandro Vargas Bonilla

**Design**
Mori Studio Inc.

**Illustrators**
Joe Boddy
Bruce Van Patter

The Internet is a fast-paced technology, and Web pages and Web addresses are constantly changing or disappearing. You may need to substitute different addresses from the ones given in the activities throughout this workbook.

ISBN 0-8219-2867-8

© 2005, 2008 by EMC Publishing, LLC
875 Montreal Way
St. Paul, Minnesota 55102
800-328-1452
www.emcp.com
E-mail: educate@emcp.com

Printed in the United States of America
5 6 7 8 9 10  XXX  09 08

# Capítulo 1

## Lección A

### 1  ¡Llego tarde a clase!

Complete el siguiente diálogo con la palabra o expresión adecuada de la lista.

se me hace tarde      rápido      hora      enseguida      date prisa

1. ¿Qué _____ es, mamá?

2. Son las ocho de la mañana. _____.

3. _____, ayúdame a preparar el desayuno.

4. _____ te preparo unos huevos.

5. No, gracias, mamá. Sólo jugo de naranja, porque _____.

### 2  Tablón de anuncios

Mire el tablón de anuncios de la clase y complete la oración con la actividad escolar más adecuada para cada estudiante.

1. Ana es muy organizada y estudiosa. Puede

   colaborar _____

   _____.

2. Martín es muy buen deportista. Puede hacerse

   miembro _____

   _____.

3. A Sofía y a Luis les gusta cantar. Pueden

   hacerse miembros _____

   _____.

4. Roberto toca muy bien la flauta. Puede

   colaborar _____

   _____.

Nombre: _____  Fecha: _____

## 3 Colombianos famosos

Empareje a cada uno de los siguientes personajes colombianos con su profesión.

1. _____ Víctor Hugo Peña        A. escritor(a)

2. _____ Shakira                 B. ciclista

3. _____ Fernando Botero         C. cantante y actor/actriz

4. _____ Carlos Vives            D. pintor(a)

5. _____ Gabriel García Márquez  E. futbolista

6. _____ Carlos "El Pibe" Valderrama   F. cantante

## 4 El primer día de clase

Complete las siguientes oraciones con la forma correcta del presente del indicativo del verbo entre paréntesis.

**MODELO**   Dora y yo <u>vamos</u> juntas a la escuela. (ir)

1. Todos los estudiantes _____ a clase después del verano. (volver)

2. Carolina y Esteban _____ que darse prisa para no llegar tarde a clase. (tener)

3. Ricardo _____ participar en el consejo estudiantil. (querer)

4. Yo _____ a todos los estudiantes de mi clase. (conocer)

5. Liliana y Ramiro _____ cómo practica la orquesta. (oír)

6. Simón _____ la lección. (repetir)

7. Nosotros _____ buenos estudiantes. (ser)

8. Tú _____ a hacerte miembro del coro. (ir)

## 5 Entre estudiantes

Complete el siguiente diálogo con la forma apropiada del presente del indicativo del verbo correspondiente de la caja.

reconocer   merecer   pertenecer   conocer

VÍCTOR:   Hola, Jaime. ¿(1) _____ tú a Beatriz?

JAIME:   No, no la (2) _____. Encantado de conocerte, Beatriz.

BEATRIZ:   Igualmente. ¿(3) _____ al coro, Jaime?

JAIME:   No, (4) _____ a la orquesta. Toco el trombón.

BEATRIZ:   Yo canto en el coro, pero (5) _____
que no soy buena.

VÍCTOR:   Yo toco la trompeta, la flauta y el piano muy bien.

¡(6) _____ ser el director de la orquesta!

## 6 ¿Qué pasa?

Escriba oraciones con el presente del indicativo del verbo.

**MODELO**   conocer / tú a todos los estudiantes
Tú conoces a todos los estudiantes.

1. aparecer / nuestra maestra en la revista *Estudiantes*

_____

2. conducir / yo el carro de mis padres hasta la escuela

_____

3. traducir / nosotros unas oraciones al español

_____

4. convencer / yo fácilmente a todos los estudiantes

_____

## 7 En clase de computación

En la primera clase de computación del año, el maestro les pide que manden un correo electrónico a un amigo. Complete el siguiente correo con la forma adecuada del verbo entre paréntesis.

---

| ▼ | Normal ▼ | MIME ▼ | QP | ⬇ | ⮐ | ⬅ | ⬒ | **Enviar** |

**Para:** Sebastián
**De:** Carlota
**Cc:**
**Asunto:** fin de semana

Hola Sebastián,

Yo *(1. estar)* _____ en clase de computación. El maestro *(2. ser)* _____

muy simpático. Él *(3. querer)* _____ enseñarnos a mandar correos electrónicos

pero, ¡yo ya *(4. saber)* _____ cómo hacerlo desde hace años! Este curso

*(5. parecer)* _____ muy interesante. Por suerte, mis amigos

*(6. tener)* _____ algunas clases en común conmigo. ¿Qué

*(7. hacer)* _____ tú el fin de semana? ¿*(8. Salir)* _____ tú y yo?

Yo te *(9. hablar)* _____ muy pronto.

Saludos,

Carlota

---

## 8 El Club Cultural

Lea el anuncio del Club Cultural y conteste las preguntas con oraciones completas.

1. ¿Qué hacen los estudiantes en la piscina?

   _____

   _____

   _____ .

2. ¿Dónde son las clases de baile?

   _____

   _____

   _____ .

3. ¿Qué ponen los viernes en el auditorio?

   _____

   _____

   _____ .

4. ¿Qué hacen los estudiantes del club el fin de semana?

   _____

   _____ .

5. ¿Qué piensa que hacen los estudiantes cuando dan paseos?

   _____

   _____

   _____ .

¿Quieres hacer algo más que estudiar este año? Hazte miembro del Club Cultural. Tenemos actividades para todo el mundo.

En la piscina puedes nadar y hacer nuevos amigos. Por las tardes, hay clases de baile en el gimnasio principal. ¿Te gusta el cine? Todos los viernes ponemos una película en el auditorio.

Si te gusta la fotografía y las actividades al aire libre, lo vas a pasar bien en los paseos de los fines de semana.

¡Ven a disfrutar con nosotros!

## 9 Sopa de letras

Busque en la sopa de letras diez palabras que describan cómo es o cómo se siente una persona.

| | | | | | | | | | | |
|---|---|---|---|---|---|---|---|---|---|---|
| I | J | X | O | S | O | L | L | U | G | R | O |
| N | I | N | T | T | C | A | J | M | E | J | S |
| T | Y | Q | R | Q | C | F | R | S | H | B | O |
| E | X | A | A | G | Y | F | P | I | M | D | T |
| L | H | O | B | Y | B | O | K | Y | K | Z | N |
| I | Q | I | A | D | N | I | M | J | R | H | E |
| G | F | V | J | S | U | V | M | P | S | U | L |
| E | O | D | A | Z | I | N | A | G | R | O | A |
| N | R | B | D | G | K | R | H | J | Q | Z | T |
| T | L | O | O | S | O | I | D | U | T | S | E |
| E | S | T | R | I | C | T | O | F | N | Q | A |

## 10 Los nuevos estudiantes

Complete el siguiente diálogo con la palabra o expresión adecuada de la lista.

| | | | |
|---|---|---|---|
| tener confianza | estricta | talentoso | a mí me tocó |
| responsables | prestar atención | me llevo | vago |
| lo aguante | ¡No es justo! | | |

DIEGO: Creo que este año me va a ir muy mal… (1)_____

SUSANA: Tienes que (2)_____ en ti mismo. ¿Por qué lo dices?

DIEGO: Mi maestra de ciencias es muy (3)_____ .

SUSANA: (4)_____ un maestro de arte muy simpático. ¿Cómo son tus

compañeros de clase?

DIEGO: Todos parecen muy (5)_____ .

(6)_____ muy bien con Ignacio, que es muy

(7)_____ . Pero a Juan, que es muy

(8)_____ , no hay quien (9)_____ .

SUSANA: Lo mejor es (10)_____ en clase y estudiar mucho. ¡Seguro

que vas a tener un buen año!

## 11 ¿Cómo son?

Complete las oraciones con el género y número apropiado del adjetivo entre paréntesis.

**MODELO**   Renata y Carolina son chicas muy <u>inteligentes</u>. (inteligente)

1. Los problemas de matemáticas son los más _____. (difícil)

2. María es estudiosa y está muy _____. (motivado)

3. Luis y Ángel son _____. (orgulloso)

4. Cristina es muy _____ y nunca quiere trabajar. (vago)

5. El baile es la actividad más _____ entre los estudiantes de mi clase. (popular)

6. Ellos son _____ y no quieren compartir nada. (egoísta)

7. Lucía es una chica muy _____. (responsable)

## 12 Se busca...

Use adjetivos de la caja en el género y número apropiados para completar estos anuncios.

estudioso   motivado   simpático   organizado   estricto
inteligente   interesante   responsable   talentoso

Buscamos chicos _____ para la orquesta de la escuela. Tienen que ser _____ y _____. Los músicos _____ deben llamar al **555-5555**.

¿Eres _____ y _____? Ven a nuestro Club Literario. Queremos gente _____ _____. Nos reunimos en la sala de lectura de la biblioteca todos los martes.

## 13 El mundo de Botero

Mire la obra de Fernando Botero. Luego, escriba una descripción de ella, utilizando al menos cinco adjetivos.

_____

_____

_____

_____

_____

_____

_____

_____

_____

_____

_____

_____

_____

_____

_____

_____

## 14 Ayer y hoy

Complete las oraciones siguientes con la forma apropiada de **ser** o **estar**.

**MODELO**  Julián <u>es</u> muy bueno porque siempre ayuda a los demás.

1. Julieta _____ guapísima hoy, ¿no crees?

2. David y Lorenzo _____ muy inteligentes y estudiosos.

3. Mi maestro de este año _____ muy divertido.

4. La película _____ muy interesante, hasta ahora.

5. Estos plátanos ya no _____ buenos.

   _____ muy negros.

6. Mis amigos y yo _____ aburridos porque no sabemos qué hacer.

## 15 Viejos amigos

Escriba un breve diálogo entre dos amigos que se encuentran después de mucho tiempo, y comentan cómo eran y cómo cambiaron, usando **ser** y **estar**. Use palabras de la caja, si lo desea.

```
alto/a    triste   harto/a   responsable   feliz   gordo/a
aburrido/a   bajo/a   guapo/a   delgado/a   divertido/a
```

_____

_____

_____

_____

_____

_____

_____

## 16 Críticos de cine

Imagine que es Ud. un(a) crítico/a *(reviewer)* de cine. Mire los carteles de estas tres películas y lea su descripción. Después, escriba una reseña *(review)* sobre las tres, usando **ser** y **estar**.

El agente Colt busca a los hombres que robaron las joyas secretas de su familia.

A veces, el amor es el show más difícil.

### Superacción

Vuelve Colt. Y esta vez, es personal.

### Amor y sonrisas

### ¿Quién fue?

**El nuevo misterio del detective Roberts.**

El famoso detective Roberts tiene que averiguar quién mató a una estrella de cine.

Un chico que trabaja de payaso en un circo se enamora de la hija del director.

_____

_____

_____

_____

_____

_____

_____

_____

_____

_____

_____

_____

## ◆Lección B

### 1 ¿Qué son?

Diga qué es cada persona, según la descripción que se da.

> **MODELO**   Daniel juega al fútbol.
> <u>Es futbolista.</u>

2. Lisa y Norma practican tenis.

_____

3. Bernardo cuida niños.

_____

4. Raúl y yo tocamos el piano.

_____

5. Luisa lleva cosas a las casas de la gente.

_____

### 2 Descripciones

Escoja el adjetivo correcto para completar cada descripción.

1. Juan es muy _____ y siempre practica deportes. (atlético / curioso)

2. Dorotea es muy _____ con las manos. (sociable / hábil)

3. Ángela es una persona _____ y se lleva bien con todos. (orgullosa / sociable)

4. Lorenzo es muy _____ y siempre hace muchas cosas. (activo / vago)

5. Berta y Domingo son muy _____ y siempre hacen muchas preguntas. (responsables / curiosos)

## 3 Gente y oficios

Lea los anuncios y escriba la letra de la ilustración de la persona que puede hacer cada trabajo.

A.

D.

B.

E.

C.

F.

| Necesitamos una persona para entrenar al equipo de fútbol.<br><br>1. _____ | Busco a alguien para cuidar a tres niños pequeños por las tardes.<br><br>2. _____ | Necesito reparar una computadora.<br><br>3. _____ |
|---|---|---|
| Buscamos jóvenes para trabajar de detectives.<br><br>4. _____ | Escuela necesita instructor(a) de música.<br><br>5. _____ | Queremos persona para hacer diferentes trabajos en una oficina.<br><br>6. _____ |

## 4 Tarjeta de béisbol

Hay muchos beisbolistas venezolanos que jugaron (o juegan todavía) en las Grandes Ligas de Estados Unidos: Andrés Galarraga, Omar Vizquel, Luis Aparicio, Edgardo Alfonso, Freddy García, Magglio Ordóñez… Escoja uno de estos deportistas y cree su propia tarjeta de béisbol para el jugador. Busque información en la internet o en revistas de béisbol.

**NOMBRE:**

_____

**Lugar y fecha de nacimiento:**

_____

**POSICIÓN:**

_____

Foto

_____

_____

_____

_____

_____

_____

_____

_____

## 5 ¿Qué o cuál?

Complete las siguientes oraciones con **qué, cuál** o **cuáles**.

1. ¿_____ es más fácil, el fútbol o el béisbol?

2. ¿_____ es tu deporte favorito?

3. ¿_____ son los colores de tu equipo?

4. ¿_____ trabajos te gusta hacer?

5. ¿_____ es la libertad?

6. ¿_____ es el correo electrónico de Marta?

7. ¿_____ son las ciudades importantes de Venezuela?

8. ¿_____ aprendiste en esta lección?

## 6 Preguntas

Complete las siguientes preguntas con la palabra interrogativa correcta de la lista.

| qué | dónde | adónde | cuánto(a/os/as) |
|-----|-------|--------|-----------------|
| cómo | por qué | quién | de dónde |

1. ¿_____ es Bruno?

2. ¿_____ se llama tu hermana?

3. ¿_____ es el entrenador de fútbol de la escuela?

4. ¿_____ años tienes?

5. ¿_____ haces este fin de semana?

6. ¿_____ no vienes con nosotros a la playa?

7. ¿_____ van tus padres de vacaciones?

8. ¿_____ vive José?

## 7 Últimas noticias

Imagine que Ud. es periodista y tiene que preparar una entrevista a un vecino que vio lo que pasó. Lea el artículo y después escriba seis preguntas para su entrevista, utilizando ¿Qué? ¿Quién? ¿Cómo? ¿Cuándo? ¿Dónde? y ¿Por qué?

## Incendio en el Barrio Central

Un incendio en la noche del sábado quemó un edificio de apartamentos en el Barrio Central. Afortunadamente, no había nadie en el edificio a esa hora. La policía cree que el incendio comenzó cuando uno de los vecinos tiró al suelo un cigarrillo encendido. El fuego quemó la alfombra del apartamento del vecino, que se había ido a una fiesta y no estaba en casa. El fuego se extendió después por todo el apartamento, y de ahí, al resto del edificio. Los bomberos llegaron al incendio rápidamente pero no pudieron evitar *(avoid)* que el edificio quedara totalmente destruido *(destroyed)*. ■

El edificio incendiado en el Barrio Central.

1. _____

2. _____

3. _____

4. _____

5. _____

6. _____

## 8 En el cine

Mire las siguientes ilustraciones y escriba qué tipo de película es cada una.

**MODELO**

Es una película cómica.

1. _____

_____

4. _____

_____

2. _____

_____

5. _____

_____

3. _____

_____

6. _____

_____

## 9 ¡Qué película!

Complete el siguiente diálogo entre dos amigos que fueron al cine y comentan la película que vieron, usando la palabra o expresión adecuada de la caja.

doblada   entiendes   romántica   efectos especiales   de ciencia ficción   el guión
no lo aguanto   para serte sincero   subtítulos   la actuación   me cae bien

LORENA: Me gustó mucho la película (1) _____ porque me gustan las historias de amor.

QUIQUE: (2) _____, ¡a mí no me gustó nada!

LORENA: ¡Ay! ¿Y por qué? (3) _____ fue muy buena y Fermín Castellanos estaba… ¡tan guapo!

QUIQUE: Pues yo (4) _____ porque no (5) _____. Además,

(6) _____ era muy malo.

LORENA: Yo creo que a ti no te gustó porque tenía (7) _____ y tú prefieres

ver una película (8) _____ en español, porque si no, no la

(9) _____ bien.

QUIQUE: ¡No, no! Sí las entiendo. Pero yo prefiero las películas (10) _____.
Tienen guiones más interesantes.

LORENA: ¿Ah, sí? ¿Cuál es tu película favorita?

QUIQUE: Se llama "Llegaron de Júpiter" y tiene los mejores (11)_____
de la historia del cine. Es la historia de unos hombres de Júpiter que llegan a la
Tierra y…

LORENA: Ja, ja. ¿Y eso es una historia interesante?

## 10 ¿Te gusta?

Complete las siguientes oraciones con el pronombre indirecto correspondiente y la forma adecuada del verbo **gustar**.

**MODELO** A Daniela <u>le gusta</u> ir al cine.

1. A Simón y Rafael _____ el fútbol.

2. A mi hermano y a mí _____ las películas de terror.

3. A ti _____ los efectos especiales.

4. ¿Qué comida _____ a tu amigo?

5. A mí no _____ los documentales.

## 11 ¿Qué les gusta?

Mire las ilustraciones y escriba una oración explicando qué le gusta a cada persona.

1. Marisol

_____

_____

2. Gustavo y Enriqueta

_____

_____

3. nosotros

_____

_____

4. tú

_____

_____

## 12 ¿Qué película le gusta más?

Mire la cartelera *(movie listing)* de este periódico. Después, escriba un diálogo en el que unos amigos comentan las películas que les gustan y las que no. Use los verbos **gustar, encantar, fascinar, interesar, importar, molestar** y **parecer.**

**Cine Avenida**
*Nuevas aventuras de Kid Flamingo*
Aventuras.
4:50; 6:50; 8:50 y 10:50.
*Kid Flamingo, el famoso aventurero, tiene que encontrar unas joyas antiguas antes que el malvado Doctor Flash.*

**Cine Dorado**
*Más que amigos*
Romántica.
4:10; 6:20; 8:30 y 10:40.
*Un chico y una chica, amigos desde pequeños, crecen y se enamoran.*

**Cine Capitol**
*Nunca más*
Drama.
4:20; 6:30; 8:40 y 10:50.
*Una madre trabaja mucho para poder pagar el hospital de su hijo enfermo.*

**Cine Ronda**
*Llegaron de Júpiter*
Ciencia ficción.
4:35; 6:35; 8:35 y 10:35.
*Un grupo de extraterrestres llega de Júpiter para atacar la Tierra.*

_____

_____

_____

_____

_____

_____

_____

_____

## 13 Correo electrónico a un(a) amigo/a

Imagine que tiene un(a) amigo/a en otra ciudad. Escríbale un correo electrónico explicando sus experiencias en la escuela y lo que hace al salir. Puede escribir (y preguntarle a su amigo/a) de lo siguiente:

- Cuándo empezaron las clases
- Cómo es su horario
- Cuáles son sus clases favoritas y qué clases no le gustan

- Cómo son sus compañeros (y quiénes le caen bien y quiénes no)
- Qué hace después de clase y los fines de semana
- Qué películas vio y cuáles son sus preferidas

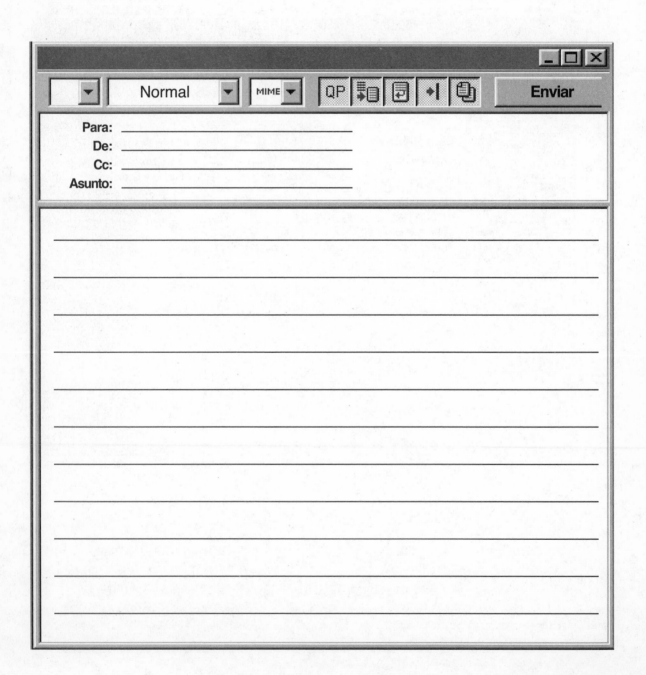

# Capítulo 2

## Lección A

### 1 Miembros de la familia

Haga el siguiente crucigrama.

**Horizontales**

1. Dos hermanos que nacieron el mismo día son ____.
5. El esposo de mi hija es mi ____.
6. Cuando no estás casado, eres ____.
9. La hermana de mi esposa es mi ____.
11. El papá de mi esposo es mi ____.
12. Si tu esposa murió, eres ____.
13. La mamá de mi esposa es mi ____.
14. Cuando tienes esposa, estás ____.

**Verticales**

2. Llevo ____ porque no veo bien.
3. Mi papá lleva ____.
4. El esposo de mi hermana es mi ____.
7. Lo contrario de rizado es ____.
8. Mi ____ es mi segundo padre.
10. La esposa de mi hijo es mi ____.

## 2 ¿Cómo son?

Complete las siguientes descripciones según la ilustración.

Juan    Alberto    Tina

Rodolfo    Rita

1. El abuelo Juan tiene _____.

2. Mi hermano Rodolfo lleva _____.

3. Mi padre, Alberto, tiene _____.

4. Tina, mi madre, tiene el pelo _____ y _____.

5. Tengo el pelo _____ y rubio. ¿Quién soy? _____.

## 3 Mi familia

Escriba un breve párrafo describiendo a los principales miembros de su familia.

_____

_____

_____

_____

_____

_____

## 4 El *Spanglish*

Escoja la palabra o expresión de la caja que corresponde con cada uno de los siguientes términos en *Spanglish*.

Loisaida    boila    Spanglish    cuora

Te veo    tiquete    carpeta    llamar para atrás

1. moneda de 25 centavos _____

2. alfombra _____

3. devolver la llamada a alguien _____

4. el barrio Lower East Side de Nueva York _____

5. multa _____

6. caldera de agua _____

7. mezcla de español e inglés _____

8. Hasta luego _____

## 5 Preguntas familiares

Conteste las siguientes preguntas con la palabra negativa correspondiente.

1. ¿Tienes algún cuñado?

_____

2. ¿Quieres alguna foto de la familia?

_____

3. ¿Ramiro siempre saca fotos a la gente?

_____

4. ¿Todavía estás soltero?

_____

5. ¿Quieres algo para comer?

_____

## 6 Cosas de familia

Complete el siguiente diálogo con la palabra afirmativa o negativa apropiada de la lista.

| nunca | algún | unos | nunca | ningún | algunos |
|---|---|---|---|---|---|
| ningún | siempre | nadie | tampoco | ni | unas cuantas |
| también | algunos | algún | ni | también | |

VERÓNICA: Joaquín, ¿tienes _____ pariente dominicano?

JOAQUÍN: No, no tengo _____ pariente dominicano, pero

tengo _____ parientes mexicanos.

VERÓNICA: ¿Ah, sí? Mi madrina _____ es mexicana.

_____ viene a visitarnos en Navidad. Y nos trae

_____ regalos típicos del país.

JOAQUÍN: Mis familiares no vienen _____. Pero yo los visité

_____ veces.

VERÓNICA: ¡Qué suerte! _____ mi hermana

_____ yo hemos ido _____

a México. En realidad, _____ de mi familia ha

visitado ese país, sólo mi padrino.

JOAQUÍN: Yo _____ conozco _____

países sudamericanos. ¿Y tú?

VERÓNICA: No, no conozco _____ país sudamericano. Y

_____ conozco Europa. Pero

_____ día, ¡voy a viajar por todo el mundo!

## 7 ¿Cómo es su familia?

Escriba un diálogo, parecido al de la actividad seis, usando al menos cinco palabras afirmativas y cinco negativas.

_____

_____

_____

_____

_____

_____

_____

_____

_____

_____

_____

_____

_____

_____

_____

_____

_____

_____

## 8 Cosas de la casa y herramientas

Empareje cada ilustración con la palabra o expresión apropiada.

A.

G.

B.

H.

C.

I.

D.

J.

E.

K.

F.

L.

_____ 1. el detector de humo

_____ 2. las cajas

_____ 3. el suelo

_____ 4. el destornillador

_____ 5. los clavos

_____ 6. el pasillo

_____ 7. el cortacésped

_____ 8. la terraza

_____ 9. los tornillos

_____ 10. el basurero

_____ 11. el martillo

_____ 12. el extinguidor
      de incendios

## 9 En la casa nueva

Complete las siguientes oraciones con el verbo apropiado de la lista.

|  |  |  |  |
|---|---|---|---|
| regar | enchufar | conectar | desarmar |
| clavar | vaciar | construir | decorar |

1. Beto tiene que _____ el estéreo porque no funciona.

2. Mi madre va a _____ el basurero.

3. ¿Tengo que _____ el televisor aquí?

4. A mi hermana le gusta _____ la casa nueva.

5. Yo quiero _____ una casa para el perro en la terraza.

6. Mi padre quiere _____ este cuadro en la pared de la sala.

7. Elisa va a _____ las plantas de la terraza todas las noches.

8. ¿Cómo debo _____ la computadora con el estéreo?

## 10 Tareas de la casa

Conteste las siguientes preguntas, usando la información que se da y los pronombres correctos. Siga el modelo.

**MODELO**   ¿Cuándo riega las plantas tu madre? (la mañana)
_Las riega por la mañana._

1. ¿Vacías el basurero por la mañana? (la noche)

_____

2. ¿Ayudas a tu madre en las tareas de la casa? (sí)

_____

3. ¿Les prestas discos compactos a tus amigos? (sí)

_____

4. ¿Qué le vas a comprar para Eva para su cumpleaños? (cuadro)

_____

## 11 ¿Qué están haciendo?

Mire la ilustración y escriba una oración que explique qué está haciendo cada persona, usando la forma progresiva del verbo correspondiente.

1. Yo _____.

2. Tú _____.

3. Mamá _____.

4. Pepe y Daniel _____.

5. El abuelo _____.

6. La abuela _____.

7. Papá _____.

8. El perro _____.

## 12 Quehaceres para todos

Reescriba las siguientes oraciones sustituyendo las palabras subrayadas por su correspondient pronombre, de las dos maneras posibles.

**MODELO**  Estoy barriendo la terraza.
A. Estoy barriéndola.
B. La estoy barriendo.

1. Miguel anda reparando el estéreo.

A. _____

B. _____

2. Mis primos continúan clavando los clavos.

A. _____

B. _____

3. Mi padre sigue construyendo las escaleras.

A. _____

B. _____

## 13 La mudanza

Imagine que su familia acaba de mudarse a otra casa. Escriba una carta a un(a) amigo/a, explicando qué está haciendo cada miembro de su familia en ese momento. Use el presente progresivo y los pronombres. Si necesita más espacio, puede seguir en otra hoja.

_____

_____

_____

_____

_____

_____

## 14 Anuncios

Use la forma impersonal con **se** de los verbos de la caja para completar los siguientes anuncios.

necesitar    exigir    **construir**    **hacer**   reparar

**vender**    preparar    comprar    buscar

1.
_____
**apartamento con terraza.**

Llamar al **555-55-11**

2.

_____
**persona para reparar televisores. Interesados, enviar currículum a TeleRápido, Avenida del Agua, 12.**

3.

_____
todo tipo de computadoras.

4.
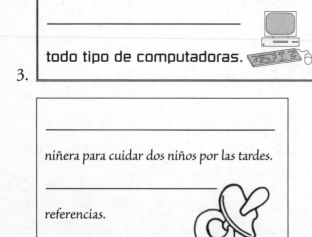

_____
niñera para cuidar dos niños por las tardes.

_____
referencias.

5.

_____
libros usados de todos los temas.
Tel. **555-6677**

6.
**Restaurante Galicia**

Comidas típicas españolas

_____

banquetes y fiestas familiares.

7.
**Ferretería Herrero**

_____

**llaves de cualquier tipo.**

8.
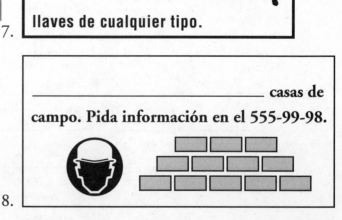

_____ **casas de campo. Pida información en el 555-99-98.**

# Lección B

## 1  En el baño

Empareje las descripciones de la columna de la izquierda con la ilustración correspondiente de la derecha. Luego, escriba la palabra o frase a la que corresponden la ilustración y la descripción.

_____ 1. lo que se usa para cepillarse los dientes

_____

_____ 2. lo que se usa para pintarse las uñas

_____

_____ 3. lo que se usa para pintarse los labios

_____

_____ 4. lo que se pone en el cepillo de dientes

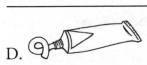

_____

_____ 5. lo que se usa para secarse el pelo

_____

_____ 6. lo contrario de seco

_____

## 2 Por la mañana...

Complete las siguientes oraciones con el verbo apropiado de la lista. Siga el modelo.

| pelearse | tocar | faltar | enojarse |
|----------|-------|--------|----------|
| secarse | ponerse | prepararse | pintarse |

**MODELO** Marcelo <u>se seca</u> el pelo después de lavárselo.

1. Serafín _____ con su hermana por el baño.

2. Mi madre _____ los labios.

3. Dora _____ con su hermanita,
porque le quitó el esmalte de uñas.

4. Papá _____ para salir al trabajo.

5. A mí _____ peinarme y desayunar.

6. Gloria _____ el abrigo.

7. A mí _____ el turno de entrar en el baño.

## 3 ¿Cómo son? ¿Cómo están?

Escriba una oración que describa cómo son o cómo están las siguientes personas o cosas, según las descripciones de abajo.

1. Mi hermana Dora siempre nos dice a todos lo que tenemos que hacer.

_____

2. Roberto siempre espera a que todos terminen, para entrar él en el baño.

_____

3. Yo me enojo porque Rita me quitó el esmalte de uñas.

_____

4. En mi familia hay mucha gente: somos cinco hermanos y nuestros padres, y dos abuelos.

_____

## 4 ¿Te falta mucho?

Complete el siguiente diálogo, usando la forma correcta del verbo reflexivo.

LUISA:   ¿Te falta mucho? Necesito entrar a (1. *ducharse*) _____.

BENITO:  Espera. (2. *Secarse*) _____ y salgo enseguida.

Oye, ¿(3. *levantarse*) _____ ya Pepe?

LUISA:   No sé. Creo que (4. *vestirse*) _____. ¿Ya estás, Benito?

BENITO:  Bueno, (5. *afeitarse*) _____ y ya estoy.

LUISA:   ¿Todavía? ¿Te falta algo más?

BENITO:  Pues... ¡(6. *peinarse*) _____ y ahora mismo salgo!

LUISA:   ¡Oh, no! ¿Quieres que (7. *pelearse*) _____ contigo?

## 5 Su rutina

Escriba un breve párrafo explicando cuál es su rutina diaria, antes de salir para el colegio. Use verbos reflexivos siempre que pueda. Puede usar los verbos del ejercicio anterior.

_____

_____

_____

_____

_____

_____

_____

_____

## 6 ¡Me aburro!

Complete las siguientes oraciones con la forma apropiada del verbo entre paréntesis.

1. No sé qué hacer y *(aburrirse)* _____.

2. Si llego tarde a clase, mi profesora *(enojarse)* _____.

3. Tú *(reírse)* _____ de todas las cosas que te cuenta tu novio.

4. A nosotros *(faltar)* _____ cinco minutos para terminar la tarea.

5. A mi hermano *(tocar)* _____ lavar los platos hoy.

6. Si ellos no atienden en clase, *(dormirse)* _____.

7. ¿Uds. *(ponerse)* _____ nerviosos cuando van a salir con alguien por primera vez?

8. Juanito *(parecerse)* _____ mucho a su madre.

## 7 Buenos amigos

Escriba seis oraciones describiendo qué hacen o no los buenos amigos, usando los verbos indicados en la lista.

| apoyarse | entenderse | quererse |
| ayudarse | llamarse | pelearse |

1. _____

2. _____

3. _____

4. _____

5. _____

6. _____

## 8 Una historia de amistad y amor

Imagine que es Ud. un escritor famoso de novelas de amor. Tiene que escribir el resumen *(summary)* de su próxima novela. Escriba una breve historia de amor, usando al menos ocho acciones recíprocas. Si quiere puede usar algunos de los verbos de la caja.

abrazarse    ayudarse    besarse

escribirse    quererse    llevarse    pelearse

llamarse    verse    darse    saludarse    conocerse

_____

_____

_____

_____

_____

_____

_____

_____

_____

_____

_____

_____

## 9 Mi habitación

Busque en la siguiente sopa de letras diez objetos que se puedan encontrar en un dormitorio. Después, escriba cinco oraciones, usando cinco de las palabras que encuentre.

| N | L | O | U | C | P | L | A | D | V | U | C |
|---|---|---|---|---|---|---|---|---|---|---|---|
| Ó | I | J | K | U | J | H | D | R | A | O | O |
| H | X | Q | Y | B | C | Q | G | L | X | H | B |
| C | S | I | H | R | C | Ó | M | O | D | A | I |
| L | Z | Á | E | E | Z | O | W | W | F | T | J |
| O | ( | P | B | C | H | X | D | U | H | C | A |
| C | Y | C | G | A | E | T | N | A | T | S | E |
| B | V | H | D | M | N | D | Á | F | O | S | M |
| C | S | ( | W | A | A | A | D | C | X | V | U |
| T | O | ( | W | S | Z | T | O | K | B | W | N |

1. _____

_____

2. _____

_____

3. _____

_____

4. _____

_____

5. _____

_____

## 10 ¿Dónde está...?

Mire la ilustración y conteste las siguientes preguntas usando una de las preposiciones de la lista.

acá     fuera de     dentro de     delante de     enfrente de

1. ¿Dónde está el colchón?

_____

2. ¿Dónde está el sofá?

_____

3. ¿Dónde está la percha?

_____

4. ¿Dónde está la mesa de noche?

_____

5. ¿Dónde está la almohada?

_____

6. ¿Dónde está la ropa?

_____

## 11 Ordena tu cuarto

Su amigo es muy desordenado y le pide ayuda para ordenar su cuarto. Escriba oraciones diciéndole qué tiene que hacer, usando la información que se da.

> **MODELO**  guardar / ropa / cómoda
> <u>Guarda la ropa en la cómoda.</u>

1. colgar / camisas / perchas

   _____

2. lavar / sábanas / sucias

   _____

3. poner / libros / estante

   _____

4. ordenar / escritorio

   _____

5. hacer / cama / cada día

   _____

## 12 ¿Te ayudo?

Su amigo le está ayudando a construir unos muebles para su casa nueva. Conteste sus preguntas, usando la información entre paréntesis, y los mandatos informales con pronombres de objeto directo e indirecto.

1. ¿Dónde pongo el martillo? (suelo)

   _____

2. ¿Te doy los clavos? (sí)

   _____

3. ¿Dónde coloco el estante? (acá)

   _____

4. ¿Saco la basura? (sí)

   _____

## 13 Cada cosa en su lugar

Complete las siguientes oraciones con la preposición de lugar adecuada.

1. La tienda de muebles está *(acá / allá)* _____, muy cerca de casa.

2. El martillo está *(fuera de / encima de)* _____ la mesa.

3. La mesa de noche está *(alrededor de / al lado de)* _____ la cama.

4. La cobija está *(dentro de / debajo de)* _____ la cómoda.

5. Los zapatos están *(allá / debajo de)* _____ la cama.

6. Mi casa está *(enfrente de /alrededor de)* _____ la farmacia.

## 14 Su cuarto

Describa cómo es su cuarto y dónde están las cosas, usando al menos seis preposiciones de lugar diferentes.

_____

_____

_____

_____

_____

_____

_____

_____

_____

_____

## 15 Amigos por la internet

Imagine que tiene un nuevo amigo que ha conocido por la internet. Escríbale un correo electrónico en el que le cuenta cómo es su vida, dónde vive e invítelo a visitarlo. Puede hablarle de los siguientes temas:

- Cómo es su familia (cuántos hermanos, cuñados, padrinos, etc. tiene)
- Cómo es su casa (descríbala)
- Su rutina diaria
- Invítelo a venir y dígale qué tiene que hacer para organizar su visita

| | Normal ▾ | MIME ▾ | QP 🔲 🔲 🔲 🔲 | Enviar |

**Para:** Ernesto
**De:** Clara
**Asunto:** De visita
**Cc:**

_____

_____

_____

_____

_____

_____

_____

_____

_____

_____

# Capítulo 3

## Lección A

### 1 ¿Qué sección leen?

Escriba qué sección del periódico lee cada persona, según lo que dice.

**MODELO**   <u>Lee la sección de finanzas.</u>

"¡Qué bien! La economía del país está mejor".

1.

"Aquí están las respuestas del crucigrama que hice ayer".

_____

_____

4.

"¡Las fotos de este reportaje son excelentes!"

2.

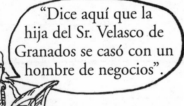

"Dice aquí que la hija del Sr. Velasco de Granados se casó con un hombre de negocios".

_____

_____

5.

"Quiero ver a qué hora empieza la telenovela".

3.

"Estoy buscando trabajo".

_____

_____

## 2 En el periódico

Complete las siguientes oraciones con la palabra apropiada de la lista.

sucedió          clasificados       averiguaste
dio un discurso   casarse           entretenimiento

1. ¿ _____ por qué Juan no vino a la fiesta?

2. ¿Qué dice la sección de _____ sobre la película de Scorsese?

3 Domi puso un anuncio en los _____ para buscar trabajo.

4. El príncipe de España va a _____ con una periodista.

5. ¿Sabes qué _____ ayer en la escuela?

6. El director _____.

## 3 El periódico y yo

Escriba un breve párrafo explicando qué secciones del periódico prefiere y por qué.

_____

_____

_____

_____

_____

_____

_____

_____

_____

_____

## 4 Un *Aula* muy especial

Conteste las siguientes preguntas sobre *Aula*.

1. ¿Qué es *Aula?*

_____

2. ¿Con qué periódico se publica?

_____

3. ¿Cada cuánto tiempo aparece *Aula?*

_____

4. ¿Qué temas tiene *Aula?*

_____

## 5 Eso pasó ayer

Reescriba las siguientes oraciones en el pretérito.

> **MODELO**  Yo llego a casa a las cinco.
>             <u>Yo llegué a casa a las cinco.</u>

1. Nosotros escribimos un correo electrónico.

_____

2. Tú hablas con tu profesora.

_____

3. Ellos comienzan a trabajar a las nueve.

_____

4. Yo juego con videojuegos.

_____

5. Pepe saca a pasear al perro.

_____

## 6 Ayer por la tarde

Complete las siguientes oraciones con el pretérito del verbo entre paréntesis.

1. ¿Adónde _____ tú ayer por la tarde? (ir)

2. Yo no me _____ hasta las 3 de la mañana. (dormir)

3. Mis hermanos _____ mal después de comer. (sentirse)

4. Mi abuelo y yo _____ un programa muy interesante. (ver)

5. El presidente _____ un discurso en el Parque Central. (dar)

6. Sonia y tú _____ buenos estudiantes. (ser)

7. Lorena _____ un libro en la biblioteca. (pedir)

8. Tú _____ con tus amigos. (divertirse)

## 7 ¿Qué hizo Ud.?

Escriba un breve párrafo explicando qué hizo Ud. ayer, desde que llegó de la escuela hasta que se fue a dormir.

_____

_____

_____

_____

_____

_____

_____

_____

_____

## 10 En un festival de cine

Complete el siguiente artículo con las palabras apropiadas de la lista.

sesión fotográfica    estreno    discurso
rueda de prensa    festival    ceremonia

El (1) _____ de cine de la ciudad empezó ayer, con una

(2) _____ en el Hotel de las Fuentes. Después, fue el

(3) _____ de la película "Las puertas abiertas", del director

Gustavo Buencamino, que dio un (4) _____. La artista

principal de "Las puertas abiertas" dijo en una (5) _____

que mañana va a tener lugar una (6) _____ delante del

hotel, para los fotógrafos de todos los periódicos.

## 11 El festival de cine de San Sebastián

Conteste las siguientes preguntas sobre el Festival de cine de San Sebastián.

1. ¿Dónde está San Sebastián?

_____

2. ¿En qué mes tiene lugar el festival?

_____

3. ¿En qué año empezó a celebrarse el festival?

_____

## 12 ¿Cuánto tiempo hace?

Conteste las preguntas según la información que se da. Siga el modelo.

**MODELO**    ¿Cuánto tiempo hace que juegas al tenis? (tres meses)
Hace tres meses que juego al tenis.

1. ¿Cuánto tiempo hace que estudia español? (dos años)

_____

2. ¿Cuánto tiempo hace que Lucía empezó a cocinar? (media hora)

_____

3. ¿Cuánto tiempo hace que tus amigos llegaron a casa? (cinco minutos)

_____

4. ¿Cuánto tiempo hace que tus vecinos viven en el barrio? (diez años)

_____

## 13 ¿Y Ud.?

Escriba una oración para decir cuánto tiempo hace que hace las siguientes cosas. Siga el modelo.

**MODELO**    estudiar español
Hace tres años que estudio español.

1. ir a la misma escuela

_____

2. vivir en el barrio

_____

3. levantarse esta mañana

_____

4. nacer

_____

## 14 Hace muchos años...

Complete las oraciones con la forma correcta del imperfecto del verbo entre paréntesis.

1. Mi padre _____ en la televisión. (trabajar)

2. Yo _____ muchos amigos. (tener)

3. Nosotros _____ en Barcelona. (vivir)

4. Uds. _____ a visitarnos de vez en cuando. (venir)

5. Tú no _____ español. (hablar)

6. Cecilia _____ al cine todos los domingos. (ir)

## 15 Cuando Ud. era pequeño

Escriba un correo electrónico a un(a) amigo/a, explicándole cómo era su vida cuando Ud. era pequeño. Use al menos cinco verbos en el imperfecto.

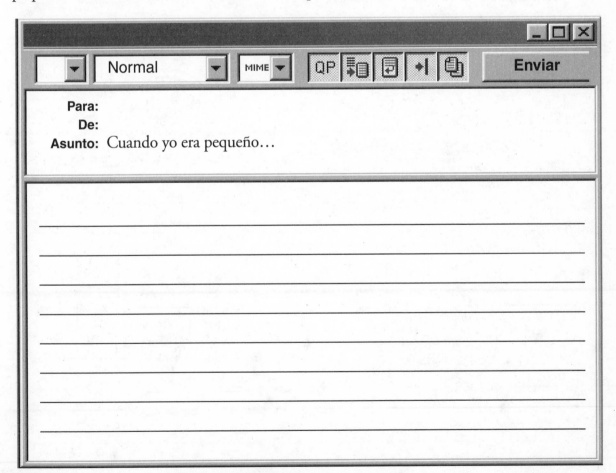

## 16 ¿Qué hacían?

Escriba una oración explicando qué hacía cada persona, según la ilustración y la información que se da. Siga el modelo.

**MODELO**   mi abuelo

Mi abuelo leía el periódico.

1. Juana y Pedro

_____

_____

4. yo

_____

_____

2. papá

_____

_____

5. tú

_____

_____

3. mamá

_____

_____

6. nosotros

_____

_____

## ◆Lección B

### 1 ¿Qué es esto?

Empareje cada ilustración con la palabra o expresión apropiada.

A.

E.

B.

F.

C.

G.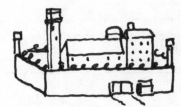

D.

H.

_____ 1. la explosión

_____ 5. la cárcel

_____ 2. la bomba

_____ 6. el jurado

_____ 3. la tormenta

_____ 7. la inundación

_____ 4. la víctima

_____ 8. el juicio

## 2 En las noticias

Escoja la palabra apropiada del paréntesis para completar cada oración.

1. La policía _____ al ladrón. (arrestó / asaltó)

2. Unos ladrones _____ el banco. (explotaron / asaltaron)

3. Hubo una _____ y la ciudad estaba llena de agua. (inundación / bomba)

4. El jurado _____ culpable al acusado. (causó / declaró)

5. La bomba _____ en el centro de la ciudad. (explotó / salvó)

6. El bombero _____ a la víctima. (salvó / logró)

## 3 Definiciones

Lea las definiciones y escriba a qué palabra corresponden.

1. _____: Algo que es muy malo.

2. _____: Una persona que está en un ju_ _ o.

3. _____: La decisión de un juicio.

4. _____: La persona que tiene un accide_ te.

5. _____: Una persona que no es culpabl_ .

6. _____: Lo que causa una bomba.

## 4 Almería, el Hollywood español

Conteste las siguientes preguntas sobre Almería.

1. ¿Qué es Almería?

_____

2. ¿Por qué llaman a Almería "el Hollywood español"?

_____

3. Mencione tres actores que pasaron por Almería.

A. _____

B. _____

C. _____

## 5 ¿Pretérito o imperfecto?

Complete las siguientes oraciones con el imperfecto o el pretérito del verbo entre paréntesis, según corresponda.

1. La policía _____ salvar a todas las víctimas. (lograr)

2. Antes, mi padre _____ policía. (ser)

3. Mis amigos _____ a videojuegos todos los días. (jugar)

4. Los bomberos _____ al incendio muy rápido. (llegar)

5. En las noticias de ayer _____ una tormenta. (anunciar)

6. _____ mucha gente en el parque. (haber)

7. De repente, nosotros _____ una explosión. (oír)

8. El jurado _____ inocente al acusado. (declarar)

## 6 Razones

Escriba una oración diciendo por qué estas personas hicieron lo siguiente, usando el pretérito y el imperfecto. Siga el modelo.

**MODELO**   el policía / correr detrás del ladrón / querer arrestarlo
_El policía corrió detrás del ladrón porque quería arrestarlo._

1. los reporteros / ir a la rueda de prensa / querer entrevistar al director de cine

_____

_____

2. nosotros / correr a casa / venir una tormenta

_____

_____

3. los ladrones /asaltar el banco / necesitar dinero

_____

_____

4. la gente / dejar la ciudad / haber una inundación

_____

_____

## 7 ¿Sabía Ud.?

Complete las siguientes oraciones con el pretérito o el imperfecto de uno de los verbos de la lista.

no querer      conocer      saber      querer      poder      saber

1. Yo _____ a Fermín Caballeros en el festival de cine.

2. Mi hermana ya _____ cocinar a los 10 años.

3. ¿ _____ tú finalmente qué pasó anoche?

4. Los policías _____ salvar a la víctima.

5. El presidente _____ declarar ante el jurado.

6. Uds. _____ ver las noticias.

## 8 Una anécdota personal

Imagine que Ud. es famoso/a y está escribiendo sus memorias *(memoirs)*. Escriba un párrafo explicando una anécdota que le pasó. Puede ser real o inventada. Use al menos cinco verbos en el pretérito y cinco verbos en el imperfecto.

_____

_____

_____

_____

_____

_____

_____

_____

_____

_____

_____

_____

_____

_____

_____

_____

## 9 Un accidente

Mire la ilustración y escriba la palabra que corresponde a cada número.

1. _____     4. _____

2. _____     5. _____

3. _____     6. _____

## 10 ¡Últimas noticias!

Complete el artículo siguiente con la palabra o expresión adecuada de la caja.

mencionó    primeros auxilios    camioneta    por suerte

accidente    paramédicos    conductor

grave    violento    se desmayó    visibilidad

herida    socorro    preocupado    ambulancia

La calle Granados fue ayer el escenario de un terrible (1) _____.

Una (2) _____ chocó contra una lámpara de la calle.

Una señora quedó (3) _____, y gritaba

"¡(4) _____!". (5) _____,

la herida no estaba (6) _____, aunque

(7) _____. Un hombre que vio el accidente

(8) _____ que fue muy (9) _____.

El (10) _____ de

la camioneta estaba muy

(11) _____

y dijo que había muy poca

(12) _____ y no

vio la lámpara. Enseguida llegó una

(13) _____

y los (14) _____

le dieron a la herida los

(15) _____.

## 11 Participios

Escriba el participio pasado para los verbos siguientes.

1. abrir _____

2. hacer _____

3. desmayar _____

4. chocar _____

5. resolver _____

6. volver _____

7. mencionar _____

8. escribir _____

9. decir _____

10. rescatar _____

11. poner _____

12. ver _____

## 12 ¿Qué había pasado?

Complete las siguientes oraciones con el pretérito o el pluscuamperfecto de los verbos entre paréntesis.

1. Cuando _____ la ambulancia, un vecino ya le

_____ los primeros auxilios al herido. (llegar / dar)

2. Simón me _____ al festival de cine esta noche,

pero yo ya _____ otros planes. (invitar / hacer)

3. La bomba ya _____ cuando la policía

_____ al edificio. (explotar / ir)

4. La policía _____ arrestar a los ladrones, pero

ellos ya se _____. (querer / escapar)

5. Cuando los bomberos _____, nosotros ya

_____ al niño. (llegar / rescatar)

## 13 ¿Quiénes son?

Escriba una oración diciendo quién o qué es cada persona o cosa, según la información que se da. Siga el modelo.

> **MODELO**  señora / tener el accidente
> <u>Es la que tuvo el accidente.</u>

1. chicos / rescatar al herido

   _____

2. coche / chocar contra un árbol

   _____

3. las paramédicas / salvar al conductor

   _____

4. la reportera / entrevistar a los testigos

   _____

## 14 Familia y amigos

Diga quién o quiénes de sus familiares o amigos es el que hace las siguientes cosas, usando pronombres relativos. Siga el modelo.

> **MODELO**  comprar más    <u>La que compra más es mi hermana Luz.</u>

1. usar más la computadora _____

2. tener más discos compactos _____

3. cocinar mejor _____

4. ser mejor deportista _____

5. llevarse mejor con Ud. _____

6. vestir mejor _____

## 15 Álbum de noticias

Busque en periódicos, revistas o en la internet cuatro fotos de noticias que le interesan.
Recórtelas *(cut them)* para hacer un álbum con las noticias. Debajo de cada foto, explique
por qué le interesó y qué hacía Ud. cuando sucedió la noticia.

# Noticias interesantes

# Capítulo 4

## Lección A

### 1 ¿Cómo son?

Escriba el adjetivo que corresponde a cada descripción.

_____ 1. Una persona que tiene celos.

_____ 2. Alguien que cuenta los secretos a todo el mundo.

_____ 3. Una persona que se preocupa por las demás.

_____ 4. Un amigo que entiende los problemas de sus amigos.

_____ 5. Alguien que quiere saberlo todo sobre todo el mundo.

_____ 6. Una persona que dice la verdad y con la que se puede contar.

### 2 Amigos

Complete las siguientes oraciones con la palabra o expresión apropiada de la lista.

perdonas         piensa en sí mismo        hace cumplidos
reconciliamos     darte cuenta

1. Susana y yo nos _____ después de la pelea.

2. Tienes que _____ de que Virginia no es la chica para ti.

3. Lo siento. ¿Me _____?

4. No me gusta Emilio. Sólo _____.

5. Eduardo siempre me _____. Creo que le gusto.

## 3 Entre amigos

Escriba una oración que corresponda con las ilustraciones. Use una de las palabras o expresiones de la lista.

| tener en común | honesto | entrometido |
| chismosa | reconciliarse | tener celos |

MODELO    Bea y Susana son chismosas.

1.

_____

_____

2.

_____

_____

3. 

_____

_____

4. 

_____

_____

5.

_____

_____

## 4 La herencia taína

Diga si las siguientes oraciones son ciertas (C) o falsas (F).

_____ 1. Los taínos vivían por todo el continente americano.

_____ 2. Cristóbal Colón escribió en su diario que el idioma taíno era muy dulce.

_____ 3. Muchas palabras taínas fueron adoptadas por el español.

_____ 4. Colón llevó a Puerto Rico una fruta llamada mamey.

_____ 5. Las ceibas son árboles muy grandes.

## 5 Hazlo

Conteste las siguientes preguntas, usando el pronombre adecuado. Siga el modelo.

MODELO    ¿Llamo a Cristóbal?
          Sí, llámalo.

1. ¿Te ayudo a preparar la comida?

   _____

2. ¿Me estás haciendo un cumplido?

   _____

3. ¿Perdonamos a Alberto?

   _____

4. ¿Vas a apoyar a Julia y a Raúl?

   _____

5. ¿Debo reconciliarme con Luisa?

   _____

6. ¿Vas a escribir a tu hermano?

   _____

## 6 Relaciones

Escriba las siguientes oraciones, usando pronombres para los fragmentos subrayados. Siga el modelo.

**MODELO**   Ricardo me contó <u>un secreto a mí</u>.
<u>Ricardo me lo contó.</u>

1. Teresa no le quiere perdonar <u>la mentira a su hermana</u>.

_____

2. Yo le pido <u>un favor a mi amiga</u>.

_____

3. Voy a llamar <u>a mi novio</u> más tarde.

_____

4. Sergio apoya <u>a Fernanda</u> en su decisión.

_____

5. Verónica me da <u>su opinión a mí.</u>

_____

6. Roberto te dijo <u>a ti que no confiaba en Lucía</u>.

_____


## 7 ¿Lo hiciste todo?

Conteste las siguientes preguntas, usando pronombres de objeto directo e indirecto. Siga el modelo.

**MODELO**   ¿Le compraste los regalos a María?
<u>Sí, se los compré.</u>

1. ¿Les preparaste la habitación a tus padres?

_____

2. ¿Llevaste la comida al perro?

_____

3. ¿Les enseñaste el camino a tus amigos?

_____

4. ¿Les contestaste las preguntas a los profesores?

_____

## 8 Hablando con un amigo

Escriba un diálogo entre dos amigos, en el que uno le pregunta a otro sobre su relación con sus amigos. Use al menos cinco pronombres de objeto directo y cinco de objeto indirecto.

_____

_____

_____

_____

_____

_____

_____

_____

_____

_____

_____

_____

_____

_____

_____

_____

_____

_____

## 9  Crucigrama

Haga el siguiente crucigrama.

### Horizontales

2. Perdóname, yo tuve la ____.
4. La ____ entre Ana y Jaime fue muy fea.
10. Andrés y yo tuvimos una ____.
12. Cuando lloras, tienes ____ en los ojos.
13. Leo quiere ____ el libro a su amigo.
14. No debes ____ a los demás sin razón.

### Verticales

1. Rosa siempre intenta ____ la culpa a otro.
3. No es bueno perder la ____.
5. Ben me entiende. Es muy ____.
6. No quiero ____ un error.
7. ____, lo hice sin querer.
8. Mi amigo me dejó ____ y no vino al cine.
9. Voy a ____ la fiesta hasta la próxima semana.
11. ¡No ____ más!

## 10 ¿Te cuento un secreto?

Complete las siguientes oraciones con la palabra o expresión apropiada de la lista.

devuelve      no faltaba más      culpa      admitió
acusó         lo hice sin querer   chévere    desconfiar

1. Rita nunca _____ lo que le prestan.

2. ¡Qué bien que vienes a la fiesta! ¡_____!

3. Daniel dice que la _____ no fue suya.

4. Claro que te ayudo. ¡_____!

5. Lo siento, _____.

6. Simón la _____ de contar el secreto.

7. No es bueno _____ de todo el mundo.

8. Finalmente, Gerardo _____ su culpa.

## 11 La salsa

Conteste las siguientes preguntas sobre la salsa.

1. ¿Qué es la salsa?

_____

2. ¿Qué dos países piensan que son los creadores de la salsa?

_____

3. ¿Dónde nació la salsa?

_____

4. Nombre a un músico de salsa famoso.

_____

## 12 ¿Qué han hecho?

Complete las siguientes oraciones con la forma apropiada del pretérito perfecto del verbo entre paréntesis. Siga el modelo.

**MODELO**   Yo <u>he discutido</u> con mis amigos. (discutir)

1. Elvira nos _____ un secreto. (contar)

2. Mi hermana y yo _____ mucho con esta película. (llorar)

3. Ellos nos _____ de decir mentiras. (acusar)

4. La profesora _____ las notas en el tablón de anuncios. (poner)

5. Yo _____ la tarea para mañana. (hacer)

6. Uds. _____ el televisor de la escuela. (romper)

7. Lo siento, no _____ culpa mía. (ser)

8. Tú _____ los libros que te presté. (perder)

## 13 Pequeños problemas

Escriba oraciones con el pretérito perfecto y la información que se da. Siga el modelo.

**MODELO**   tú / no hacer la tarea
             <u>Tú no has hecho la tarea.</u>

1. Diego / no preparar la comida

_____

2. Roberto y yo / pedir perdón al vecino

_____

3. Uds. / decir mentiras

_____

4. tú / tener una discusión con Rolando

_____

## 14 ¿Qué ha hecho Ud.?

Escriba un párrafo en el que explique las cosas que ha hecho hoy desde que se ha levantado. Use por lo menos cinco verbos en el pretérito perfecto.

_____

_____

_____

_____

_____

_____

_____

_____

_____

## 15 ¿Qué quiere decir?

Ponga un círculo alrededor de la letra con el significado apropiado para cada oración.

1. Ella es una vieja amiga.
   A. Mi amiga tiene muchos años.      B. Hace muchos años que soy amigo suyo.

2. San Juan es una gran ciudad.
   A. San Juan tiene muchos habitantes.      B. San Juan es una ciudad interesante.

3. Éste es el único libro que tengo.
   A. Sólo hay un libro.      B. El libro es muy especial.

4. Necesito una radio nueva.
   A. Quiero otra radio.      B. La radio no se ha usado antes.

## 16 Un mal día

Escriba un correo electrónico a un(a) amigo/a explicándole por qué ha tenido un mal día.
Use al menos cinco verbos en el pretérito perfecto.

| | Normal | MIME | QP | | | | | Enviar |
|---|---|---|---|---|---|---|---|---|

**Para:**
**De:**
**Asunto:** Un mal día
**Cc:**

_____

_____

_____

_____

_____

_____

_____

_____

_____

_____

_____

_____

## Lección B

### 1  Sopa de letras

Busque diez palabras sobre las relaciones entre padres e hijos en esta sopa
de letras. Luego, escriba tres oraciones usando tres de las palabras.

```
N  N  Ó  I  C  A  G  I  L  B  O  R  R  E  L  A  C  I  Ó  N
X  R  V  N  Y  H  W  F  S  O  K  L  N  D  O  G  P  A  U  C
S  E  E  O  D  A  C  O  V  I  U  Q  E  T  X  N  D  X  C  R
C  X  D  S  M  K  D  C  V  D  X  D  C  X  M  U  L  O  C  I
R  Q  T  L  P  V  M  R  K  H  L  I  Z  Z  L  F  M  C  D  T
N  A  V  U  V  E  L  H  C  E  L  B  V  T  J  P  U  Z  D  I
R  M  N  I  Z  R  T  Y  Q  F  D  D  O  U  O  R  O  L  S  C
U  Q  H  O  F  F  X  A  N  B  E  U  B  R  X  X  C  Y  J  A
N  J  Y  H  I  K  E  O  R  R  W  U  T  B  X  V  E  L  Q  R
G  D  W  N  H  C  C  F  M  N  R  A  S  I  V  A  D  L  R  R
O  L  B  N  I  S  C  S  D  B  M  F  O  Z  J  V  E  V  D  V
O  U  C  T  P  R  S  A  C  I  F  W  D  O  D  K  X  S  T  W
U  J  X  K  M  O  Y  K  E  F  K  P  J  D  T  T  V  A  H  D
C  J  X  G  Y  J  H  N  G  R  V  L  M  A  Z  X  K  C  R  N
X  T  N  R  P  Q  T  C  P  C  K  J  D  C  R  K  M  R  Q  Z
N  U  V  B  O  O  A  E  F  B  Y  Q  R  O  J  F  O  T  O  J
```

1. _____

_____

2. _____

_____

3. _____

_____

## 2 Buenos consejos

Complete la siguiente carta con la palabra o expresión apropiada de la lista, usando la forma apropiada de los verbos. Después, escriba una respuesta a la carta, usando otras palabras de la lista.

| | | | |
|---|---|---|---|
| estar equivocado | levantar la voz | comportamiento | criticar |
| relación | conflicto | obligación | hacer las paces |
| ponerse de acuerdo | aceptar | respetar | avisar |
| hacer caso | adulto | diferencias de opinión | |

*Querida Doctora Corazón,*

Mi _____ con mis padres no es muy

buena. Ellos siempre me _____ y no me

_____ tal como soy. Cada día tenemos

un _____ nuevo. Yo les digo que soy un

_____ y que me tienen que

_____. Y si tenemos

_____ ellos piensan que soy yo quien

_____. ¿Qué puedo hacer?

_____

_____

_____

_____

_____

## 3 Juan Luis Guerra

Escriba un breve párrafo explicando quién es Juan Luis Guerra, de dónde es y cuáles son sus canciones más conocidas.

_____

_____

_____

_____

_____

## 4 ¡No lo hagas!

Escriba el mandato negativo correspondiente para cada uno de los mandatos afirmativos. Siga el modelo.

**MODELO**   Abre la puerta.

No abras la puerta.

1. Llega tarde.

_____

2. Habla mucho por teléfono.

_____

3. Cuenta chismes.

_____

4. Ve a la fiesta.

_____

5. Haz caso de mis consejos.

_____

## 5 ¿Te ayudo?

Su amigo/a no sabe cómo ayudarlo a preparar una fiesta sorpresa. Conteste sus preguntas usando mandatos negativos informales y los pronombres correspondientes. Siga el modelo.

> **MODELO**   ¿Le doy el regalo a Rosa?
> <u>No, no se lo des.</u>

1. ¿Le digo a tus amigos el secreto?

   _____

2. ¿Me voy ya para casa?

   _____

3. ¿Preparo la comida ahora?

   _____

4. ¿Empiezo a poner los CD?

   _____

5. ¿Envío correos electrónicos a los invitados?

   _____

## 6 ¿Adónde vas?

Complete las siguientes oraciones con la preposición **a**, sólo cuando sea necesario.

1. Voy _____ la catedral, que está _____ una cuadra de aquí.

2. Roberta sabe _____ respetar _____ todo el mundo.

3. Sandra corre _____ 25 kilómetros _____ por hora.

4. Tienes que aprender _____ aceptarme como soy.

5. Avisa _____ tus amigos de que no iremos _____ la fiesta.

6. Quiero _____ hacer las paces con mis padres.

## 7 Diálogo

Escriba un diálogo entre un joven y su madre o padre, en el que hablan de cómo mejorar su relación. Use al menos cuatro mandatos negativos informales y cuatro preposiciones **a**.

_____

_____

_____

_____

_____

_____

_____

_____

_____

_____

_____

_____

_____

_____

## 8 ¿Hola?

Empareje cada ilustración con la palabra o expresión apropiada.

A.

E.

B.

F.

C.

G.

D.

H.

_____ 1. la guía telefónica

_____ 2. consultar la guía

_____ 3. la tarjeta telefónica

_____ 4. sonar

_____ 5. el contestador automático

_____ 6. colgar

_____ 7. el teléfono inalámbrico

_____ 8. el operador

## 9 Teléfonos

Complete las siguientes oraciones, escogiendo la palabra apropiada de las indicadas entre paréntesis.

1. Tienes que _____ la batería de tu teléfono
   inalámbrico. (cargar / sonar)

2. Para llamar, marca el _____. (código / mensaje)

3. Hay tres mensajes nuevos en el _____.
   (teléfono inalámbrico / contestador automático)

4. La _____ está ocupada. (línea / batería)

## 10 Por teléfono

Complete el siguiente diálogo con la palabra o expresión apropiada de la lista.

| llamadas locales | llamadas a cobro revertido | colgar |
|---|---|---|
| tarjeta telefónica | quién habla | llamadas de larga distancia |
| teléfono inalámbrico | número equivocado | recepción |

A: ¿Hola? ¿_____?

B: Hola. ¿Hace Ud. muchas _____?

A: No, hago muchas _____, pero… ¿quién es?

B: No importa. Nuestro servicio también sirve para llamadas locales y para

_____. ¡Y además, le regalamos un

_____!

A: Creo que tiene el _____…

B: No, no. Y nuestro servicio tiene la mejor _____.

A: Lo siento, pero voy a _____.

B: No cuelgue. También le regalamos una _____.

A: Adiós

## 11 ¿Qué estaban haciendo?

Mire las ilustraciones y diga qué estaba haciendo cada persona cuando sonó el teléfono. Siga el modelo.

 mamá

MODELO

Mamá estaba escribiendo en la computadora.

1. _____ papá

_____

_____

2. _____ mis hermanos

_____

_____

3. _____ mi abuela

_____

_____

4. _____ yo

_____

_____

5. _____ tú

_____

_____

6. _____ mis amigos

_____

_____

7. _____ Luis

_____

_____

8. _____ Andrea y yo

_____

_____

Nombre: _____ Fecha: _____

## 12 ¿Qué estaba ocurriendo?

Complete las siguientes oraciones con el pretérito y el imperfecto de los verbos entre paréntesis, según corresponda.

1. Cuando mis padres _____ a casa, yo

   _____. (llegar / ducharse)

2. Tú _____ de casa cuando

   _____ el teléfono. (salir / sonar)

3. Cuando Carmen _____, la operadora no

   _____. (llamar / trabajar)

4. Nosotros _____ cuando

   _____ a llover. (pasear / empezar)

## 13 Yo estaba...

Escriba cuatro oraciones diciendo qué estaban haciendo las siguientes personas cuando algo pasó. Use la información de las tres columnas.

| | | |
|---|---|---|
| yo | preparar la comida | llamar a la puerta |
| mis amigos | salir de casa | los Yankees ganar las Series Mundiales |
| tú | llamarte | haber una explosión |
| Uds. | ducharse | empezar la tormenta |

1. _____

   _____

2. _____

   _____

3. _____

   _____

4. _____

   _____

## 14 Historia de detectives

Imagine que Ud. es el guionista *(screenwriter)* de una película de detectives. Tiene que escribir la escena de un interrogatorio *(questioning)*. Use la información de abajo, los mandatos informales negativos y el imperfecto progresivo para escribir la escena.

**Personajes:** policía bueno

policía malo

persona arrestada

**Problema:** un robo de joyas en la casa de un artista famoso

**Objetivo:** saber dónde estaba y qué estaba haciendo el arrestado cuando ocurrió el robo

# Capítulo 5

## Lección A

### 1 Manejando por la ciudad

Identifique las cosas numeradas en el dibujo, escogiendo de la lista.

| semáforo | calle de doble vía | prohibido doblar | estacionamiento |
|---|---|---|---|
| Pare | estacionar | espejo retrovisor | calle de una sola vía |
| | | | licencia de conducir |

1. _____    6. _____

2. _____    7. _____

3. _____    8. _____

4. _____    9. _____

5. _____

## 2 En la clase de conducir

Complete las siguientes oraciones con la palabra o expresión correcta del paréntesis.

1. Roberto debe _____ al coche que viene por la derecha. (ceder el paso / acelerar)

2. Abelardo _____ la velocidad al llegar al cruce. (disminuye / acelera)

3. Alicia _____ con su hermana, que está aprendiendo. (tiene paciencia / ser prudente)

4. ¿Qué debes hacer si el _____ está rojo? (acelerador / semáforo)

5. Tiene Ud. que parar. _____ el freno. (pise / disminuya)

6. Busco un sitio para _____ el coche. (ajustar / estacionar)

7. Para ir más deprisa, tienes que pisar el _____. (estacionamiento / acelerador)

8. Antes de empezar, _____ el espejo retrovisor. (ajuste / pise)

## 3 Definiciones

Escriba la palabra o expresión que corresponde a cada definición.

1. _____: ir más deprisa

2. _____: poner el pie sobre algo

3. _____: poner bien algo

4. _____: dejar el coche en la calle, en un buen sitio

5. _____: ir más despacio

6. _____: dejar pasar a alguien primero

## 4 El transporte público en Buenos Aires

Conteste las siguientes preguntas sobre el transporte público en Buenos Aires.

1. ¿Cuáles son los transportes públicos más usados en Buenos Aires?

_____

_____

2. ¿Cuáles son las ventajas del subte?

_____

_____

3. ¿Qué ventajas tiene el colectivo?

_____

_____

## 5 Mi profesor me dice...

Escriba mandatos formales, usando la información que se da. Siga el modelo.

MODELO   pisar / el freno
         Pise el freno.

1. ajustar / el espejo retrovisor

_____

2. acelerar / con el semáforo en verde

_____

3. estacionar / delante de la puerta

_____

4. no cruzar / con el semáforo en rojo

_____

5. ser / prudente

_____

6. dar / la vuelta a la glorieta

_____

## 6 Consejos

Imagine que su padre les presta el coche a Ud. y a su hermano. Combine elementos de la primera y de la segunda columna para formar siete mandatos plurales que su padre les dice. Siga el modelo.

MODELO    No lleguen muy tarde.

| A | B |
|---|---|
| llegar | muy tarde |
| ajustar | mucho |
| no acelerar | la vuelta a la glorieta |
| ceder | las normas de tránsito |
| ser | con cuidado |
| dar | prudentes |
| ir | el paso |
| saber | el espejo retrovisor |

1. _____

2. _____

3. _____

4. _____

5. _____

6. _____

7. _____

## 7 Consejos para una escuela mejor

Diseñe un cartel para su escuela en el que dé consejos para que la escuela sea mejor. Use al menos seis mensajes con mandatos con **nosotros**. Siga el modelo.

MODELO  Cuidemos la escuela.

## 8 Paseando por la ciudad

Empareje cada ilustración con la palabra o expresión apropiada.

A.    F.

B.    G.

C.    H.

D.    I.

E.    J.

_____ 1. el parquímetro    _____ 6. la zona verde

_____ 2. la estación de servicio    _____ 7. el kiosco

_____ 3. el atasco    _____ 8. la obra en construcción

_____ 4. el cruce de peatones    _____ 9. el peatón

_____ 5. la gasolina    _____ 10. la autopista

## 9 ¿Qué dices cuando…?

Escoja la palabra o expresión de la lista que corresponde a cada situación.

| | | |
|---|---|---|
| no me ponga una multa | estoy perdido | dónde queda |
| dónde se encuentra | llene el tanque | callejón sin salida |

1. Pasaste un semáforo en rojo. El policía viene a tu coche.

¡_____!

2. No sabes donde estás. Se lo dices a alguien.

_____.

3. Buscas el banco.

¿_____ el banco?

4. No sabes dónde está la Plaza Mayor.

¿_____ la Plaza Mayor?

5. No te queda gasolina. Hablas con el empleado de la estación de servicio.

_____, por favor.

6. Esta calle se acaba y no va a ningún sitio.

Es un _____.

## 10 El mundo de Mafalda

Escriba un párrafo explicando lo que Ud. sepa sobre Mafalda.

_____

_____

_____

_____

_____

_____

## 11 ¿Pides o preguntas?

Complete las siguientes oraciones con la forma correcta de **pedir** o **preguntar.**

1. Voy a _____ pescado en el restaurante.

2. Quiero _____ a Eduardo a qué hora es la fiesta.

3. ¿Le _____ tú dinero a tus padres?

4. Voy a _____ dónde está la Calle Alcázar.

5. Mi hermano _____ permiso siempre que quiere usar el coche de mis padres.

6. ¡Estamos hartos! ¡Ellos siempre nos _____ favores!

7. Tú _____ lo que quieras, que yo te voy a contestar.

8. Todo lo que tú _____ yo te lo voy a dar.

## 12 Diálogo

Escriba un breve diálogo entre dos amigos. Use al menos tres veces el verbo **preguntar** y otras tres veces el verbo **pedir.**

_____

_____

_____

_____

_____

_____

_____

_____

_____

_____

## 13 ¿Qué quieren?

Escriba ocho oraciones, usando información de la primera y de la segunda columna. Use el subjuntivo correspondiente. Siga el modelo.

**MODELO**  El policía quiere que pares en el semáforo.

| | |
|---|---|
| El policía quiere que… | parar en el semáforo |
| El profesor te pide que no… | exceder la velocidad |
| Es necesario que nosotros… | traer el permiso |
| Es importante que Uds… | llenar el tanque |
| Es mejor que ella… | no poner una multa |
| Es bueno que todos… | buscar un lugar para estacionar |
| Te aconsejo que… | aprender las normas |
| Quiero que… | vender el coche |

1. _____

2. _____

3. _____

4. _____

5. _____

6. _____

7. _____

8. _____

## 14 Es bueno que...

Complete las siguientes oraciones con la forma apropiada del subjuntivo del verbo entre paréntesis. Siga el modelo.

MODELO   Es bueno que <u>pares</u> en el semáforo. (parar)

1. Es importante que nosotros _____ a manejar. (aprender)

2. Mis padres quieren que yo _____ trabajo en verano. (buscar)

3. Es mejor que tú no _____ la velocidad. (exceder)

4. El policía no quiere que Uds. _____ aquí. (estacionar)

5. Quiero que él me _____ dónde queda el banco. (indicar)

6. Es necesario que tú _____ paciencia conmigo. (tener)

7. Es bueno que los peatones _____ en la esquina. (cruzar)

## 15 Consejos para un amigo

Imagine que su amigo/a viene a visitarlo de otra ciudad. Escríbale cuatro consejos que le da para manejar por su ciudad. Siga el modelo.

MODELO   <u>Es bueno que lleves la licencia contigo.</u>

1. _____

_____

2. _____

_____

3. _____

_____

4. _____

_____

# Lección B

## 1 Crucigrama

Haga el siguiente crucigrama.

**Horizontales**

1. El ____ pide los boletos.
4. No encuentro mi ____.
6. El tren está a punto de ____.
7. Nuestro tren sale del ____ cuatro.
8. Me gusta sentarme junto a la ____.
11. Compras los boletos en la ____.

**Verticales**

2. Sirven comida en el coche ____.
3. ¿Sabes cuál es tu ____?
5. Tengo que hacer ____ en la próxima estación.
6. Llegaste ____, a la hora justa.
8. ¡____, al tren!
9. Tu tren tiene un ____ de veinte minutos.
10. Necesito un boleto de ____ clase.

## 2 Buenos consejos

Complete el siguiente párrafo con la palabra o expresión apropiada de la lista.

| | | | |
|---|---|---|---|
| asiento | el coche comedor | la boletería | tren rápido |
| primera clase | inspector | transbordo | |

Querido Alberto,

¡Qué divertido fue mi viaje en tren por Chile! Primero fui a la estación y compré mi

boleto en (1)_____. Como era muy barato, compré un boleto de

(2)_____. Escogí un (3)_____ de ventanilla,

porque quería ver el paisaje. Cuando pasó el (4)_____,

le pregunté dónde estaba (5)_____, porque tenía hambre.

Hice (6)_____ en Valparaíso y allí tomé un (7)_____

hasta Santiago. ¡Qué pena que no vinieras conmigo!

Un abrazo,

Catalina

## 3 ¿Qué es?

Escriba la palabra que corresponde a cada ilustración.

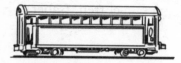

1. _____  2. _____  3. _____

## 4 El tren de la poesía

Conteste las siguientes preguntas sobre el tren de la poesía.

1. ¿A quién hace homenaje el tren de la poesía?

_____

_____

2. ¿Por dónde pasa el tren de la poesía?

_____

_____

3. ¿Qué hacen los escritores durante el viaje?

_____

_____

## 5 Expresiones

Complete las siguientes oraciones con la forma apropiada del subjuntivo del verbo entre paréntesis. Siga el modelo.

**MODELO** Es bueno que Uds. <u>viajen</u> en tren. (viajar)

1. Es inútil que tú _____ al andén sin boleto. (ir)

2. Es malo que el tren _____ con retraso. (estar)

3. Es una lástima que ellos no _____ a qué hora sale el tren. (saber)

4. Es increíble que tu boleto _____ de primera clase. (ser)

5. Es bueno que nosotros _____ nuestros asientos a los mayores. (dar)

6. Es una suerte que _____ un coche cama libre. (haber)

## 6 Mensajes

Escriba una oración, usando las expresiones de abajo y el subjuntivo. Siga el modelo.

**MODELO**   Es bueno que <u>vengas a visitarme.</u>

1. Es bueno que _____.

2. Es malo que _____.

3. Es increíble que _____.

4. Es inútil que _____.

5. Es una suerte que _____.

6. Es una lástima que _____.

## 7 ¿Adónde vas?

Complete las siguientes oraciones con el subjuntivo del verbo apropiado de la caja.

1. Quiero que tú _____ bien en lo que has hecho.

2. Espero que Uds. _____ pronto a visitarnos.

3. Simón desea que ellos _____ mejor.

4. Es importante que yo _____ un boleto para el domingo.

5. Es mejor que nosotros _____ ocho horas antes de salir.

6. Es necesario que el tren _____ antes de las diez.

## 8 Folleto para los viajeros

Complete el siguiente folleto para una compañía de trenes, dando consejos a los viajeros.
Use al menos seis verbos en subjuntivo.

# Compañía de trenes

_____

_____

_____

_____

_____

_____

_____

_____

_____

_____

_____

_____

_____

_____

## 9 Parejas

Empareje cada ilustración con la palabra o expresión apropiada.

A.

G.

B.

H.

C.

I.

D.

J.

E.

K.

F.

L.

_____ 1. la tienda de acampar

_____ 2. el valle

_____ 3. los binoculares

_____ 4. la linterna

_____ 5. los fósforos

_____ 6. el repelente de insectos

_____ 7. el arbusto

_____ 8. el pueblo

_____ 9. la brújula

_____ 10. el sendero

_____ 11. el saco de dormir

_____ 12. el campamento

## 10 En el campamento

Complete las siguientes oraciones con la palabra apropiada de la caja.

escalar   exijo   sugiero   acampar
dar una caminata   fósforos

1. Necesito _____ para encender el fuego.

2. ¡Vamos a _____ en el valle!

3. Quiero _____ esas rocas de allí.

4. Te _____ que uses repelente de insectos.

5. ¿Vamos a _____ por el sendero?

6. Te _____ que te pongas casco para escalar.

## 11 Postal desde el campamento

Imagine que está de campamento. Escriba una postal a un(a) amigo/a explicándole qué hace y qué equipo lleva.

## 12 ¿Por o para?

Complete las siguientes oraciones con **por** o **para**, según corresponda.

1. Este mensaje es _____ mi amigo Luis.

2. Voy a dar una caminata _____ los senderos del valle.

3. Voy a enviar la carta _____ correo.

4. Me hice daño _____ no usar casco.

5. ¿Quieres fósforos _____ encender la fogata?

6. Debo terminar la tarea _____ mañana.

7. Nos acercamos _____ ver el campamento.

8. Estuvimos en el campamento _____ dos semanas.

9. Pagué veinte dólares _____ estos binoculares.

10. ¿_____ qué sirve el repelente de insectos?

## 13 Espero que...

Escriba oraciones con la información que se da y el subjuntivo. Siga el modelo.

**MODELO**  yo / recomendarte / llevar casco para escalar
<u>Te recomiendo que lleves casco para escalar.</u>

1. ellos / aconsejar / tú ir por el sendero

_____

2. las reglas / exigir / los turistas no hacer fogatas en el valle

_____

3. yo / necesitar /ellos comprarme un saco de dormir

_____

4. la guía / esperar / nosotros dormir en las tiendas de acampar

_____

## 14 Recomendaciones y consejos

Escriba ocho oraciones, usando elementos de la primera y de la segunda columna.
Use el subjuntivo cuando sea necesario. Siga el modelo.

**MODELO** Te recomiendo que lleves repelente de insectos.

| | |
|---|---|
| recomendar | llevar repelente de insectos |
| exigir | usar casco |
| aconsejar | dormir en sacos de dormir |
| sugerir | acampar cerca del río |
| desear | no encender una fogata en el valle |
| esperar | dar una caminata por el sendero |
| insistir en | ir a visitar el pueblo |
| ordenar | comprar una brújula |
| mandar | consultar el mapa |

1. _____

2. _____

3. _____

4. _____

5. _____

6. _____

7. _____

8. _____

## 15 Guía de viajes

Imagine que tiene que escribir un artículo para una guía de viajes. Su tema es Argentina y Chile. Escriba un artículo con lo que ha aprendido sobre estos dos países. Hable de los siguientes temas:

• Lugares que pueden visitar
• Medios de transporte que pueden usar
• Actividades para hacer
• Consejos para los viajeros

_____

_____

_____

_____

_____

_____

_____

_____

_____

_____

_____

_____

_____

_____

# Capítulo 6

## Lección A

### 1 Sopa de letras

Encuentre doce actividades y palabras relacionadas con planear un viaje.

```
X  Z  K  P  G  I  X  I  O  M  Q  D  J  D  R  O  D  X  P  H
C  O  N  F  I  R  M  A  R  B  E  V  U  P  A  R  T  R  Y  V
G  X  M  P  T  A  L  C  N  T  S  L  Q  T  T  Y  T  M  A  Z
I  U  J  K  B  W  T  T  A  Ó  P  E  U  P  S  M  X  S  R  K
O  G  Z  W  Q  F  X  L  Z  Z  I  E  R  I  A  W  B  A  Y  A
E  J  P  S  J  C  L  R  X  W  P  C  N  V  G  P  S  O  C  S
Y  G  Q  K  G  E  K  O  Z  B  Y  H  A  X  A  E  Z  H  D  O
X  N  Ó  I  C  A  M  R  I  F  N  O  C  L  V  R  E  Q  F  T
P  I  A  G  T  G  O  H  F  M  G  J  U  A  E  Q  M  H  F  N
M  C  T  Z  T  A  V  R  E  S  E  R  R  P  U  C  M  N  H  E
V  H  Q  R  Y  M  U  L  Z  K  B  T  P  E  Y  C  N  Q  E  U
Y  C  A  Y  C  J  D  Y  M  I  A  A  D  H  T  A  Z  A  D  C
X  E  E  W  Q  A  N  Z  S  S  X  E  U  X  O  N  I  Q  C  S
F  R  H  K  B  D  I  D  L  N  V  X  O  X  A  C  V  U  N  E
Q  V  A  E  M  R  C  S  C  I  N  Z  W  G  H  E  D  L  Y  D
F  O  U  E  L  O  I  F  A  Y  Q  H  V  Q  F  L  C  J  P  Y
I  L  I  K  N  G  X  J  J  A  K  U  F  L  Q  A  Y  J  C  L
O  W  B  K  H  A  E  U  C  C  G  G  Z  V  U  R  L  F  G  U
C  O  N  B  C  R  L  L  A  K  A  D  T  F  A  M  C  E  G
Q  F  G  Z  O  U  E  P  N  A  C  I  O  B  R  P  S  Y  A  O
```

## 2 Planeemos un viaje

Escoja la palabra o expresión de la lista que mejor capta el significado de la frase subrayada.

| | | | |
|---|---|---|---|
| están sujetas a cambio | un volcán | la reserva | con anticipación |
| gastar | con descuento | sin previo aviso | hubo un malentendido |

1. Tenemos que pagar los billetes <u>antes de salir de viaje</u>. _____

2. Quiero confirmar <u>el boleto de avión que me guardan</u>. _____

3. Uds. no quieren <u>pagar</u> mucho dinero en el viaje. _____

4. Las fechas <u>pueden cambiar sin avisar</u>. _____

5. <u>La persona de la agencia me entendió mal</u>. _____

6. Fuimos a ver <u>una montaña que saca fuego</u>. _____

7. Pueden subir el precio <u>sin avisarme antes</u>. _____

8. Me van a vender el billete <u>por menos dinero</u>. _____

## 3 ¡Viaje en avión!

Lea el folleto (*flyer*) de esta agencia de viajes. Complete las oraciones con la palabra o expresión apropiada de la lista.

| | | | |
|---|---|---|---|
| descuento | malentendidos | planear | con anticipación |
| excursión | confirmar | cancelaciones | volcán |

¿Quiere Ud. ( 1 ) _____ un viaje? Nosotros le

vamos a ayudar. Tenemos viajes con ( 2 ) _____ a

### *Costa Rica.*\*

Visite el famoso ( 3 ) _____ Arenal y los bellos

parques nacionales del país. Si hace su reserva hoy mismo,

le regalamos una ( 4 ) _____ a Bahía Limón.\*\*

\* No aceptamos (5) _____ a último momento.

\*\* Para que no haya (6) _____, tiene que (7) _____

su reserva (8) _____.

## 4 Panamá, tres ciudades en una

Conteste las siguientes preguntas sobre la ciudad de Panamá.

1. ¿Por qué dicen los panameños que en Panamá hay tres ciudades?

   _____

   _____

   _____

2. ¿Cuáles son estas tres ciudades?

   _____

   _____

   _____

3. Mencione tres lugares de interés en Panamá.

   _____

   _____

   _____

## 5 Tan pronto como...

Complete las siguientes oraciones con la forma apropiada del subjuntivo del verbo entre paréntesis.

1. Voy a hacer la confirmación tan pronto como yo _____ la hora. (saber)

2. En cuanto tú _____, vamos a ir al aeropuerto. (llegar)

3. Aunque no te _____ volar, vamos a ir en avión. (gustar)

4. Les voy a mandar dinero para que Uds. _____ cheques de viajero. (comprar)

5. Antes de que nosotros nos _____, tenemos que llamar a un taxi. (ir)

6. No me mandarán el boleto hasta que yo _____ la reserva. (pagar)

## 6 Viajes y más viajes

Combine elementos de las tres columnas para escribir seis oraciones sobre viajes. Use el subjuntivo cuando sea necesario. Siga el modelo.

MODELO  Voy a ir de viaje tan pronto como tenga vacaciones.

| | | |
|---|---|---|
| ir de viaje | tan pronto como | tener vacaciones |
| avisar a mis padres | en cuanto | saber las fechas |
| hacer la reserva | hasta que | enviar los boletos |
| pagar los boletos | después de que | tener la reserva |
| hacer las maletas | antes de que | comprar los boletos |
| hacer la confirmación | aunque | ir a la agencia |
| pedir un taxi | para que | hablar con mi maestra |

1. _____

_____

2. _____

_____

3. _____

_____

4. _____

_____

5. _____

_____

6. _____

_____

## 7 ¿Planeamos un viaje?

Escriba un diálogo entre dos amigos que están planeando un viaje en avión. Use al menos seis de las palabras o expresiones de la caja.

hasta que   después de que   en cuanto
antes de que   tan pronto como   para que
aunque

_____

_____

_____

_____

_____

_____

_____

_____

_____

_____

_____

_____

_____

_____

## 8 Crucigrama

Haga el siguiente crucigrama.

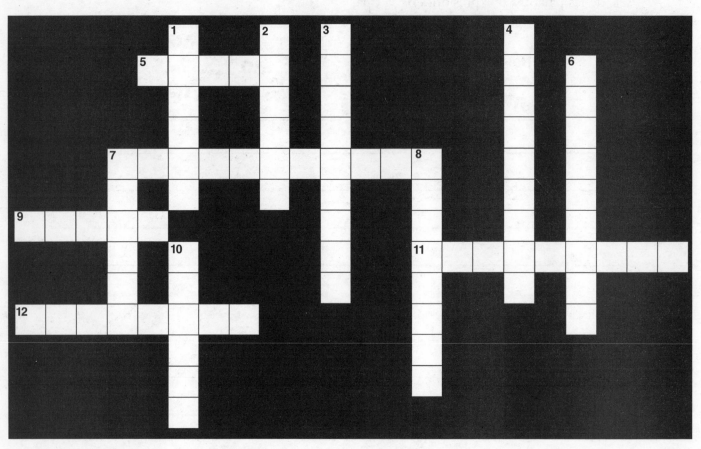

### Horizontales

5. No puedo _____ que me gusta ir en avión.
7. Tienen que _____ en la puerta de embarque a las ocho.
9. Hoy las _____ no dejan ver el sol.
11. No hay que _____ de los truenos.
12. Hay un _____ y nos vamos a mojar.

### Verticales

1. Si no corres vas a _____ el avión.
2. Oí un _____ porque viene una tormenta.
3. Nuestro avión está _____.
4. Es bueno _____ antes de volar.
6. Un _____ se vio cerca del aeropuerto.
7. ¿Cuál es nuestra _____ de embarque?
8. Para subir al avión necesitas la tarjeta de _____.
10. Hay _____ y es difícil ver la carretera.

## 9 En el aeropuerto

Complete las siguientes oraciones con la palabra o expresión apropiada de la lista.

negar          relájate              presentarse

turbulencias    puerta de embarque    hacer fila

1. Para embarcar, tiene que _____ en la puerta de embarque.

2. Tengo que _____ para embarcar.

3. ¡_____! Volar es divertido.

4. No puedo _____ que me asusta ir en avión.

5. ¿Puede decirme dónde está la _____ dieciocho?

6. A veces, hay _____ cuando hay aguaceros.

## 10 San Blas, un viaje al pasado

Escriba un párrafo explicando lo que sabe sobre San Blas, Panamá.

_____

_____

_____

_____

_____

_____

_____

_____

_____

_____

## 11 ¿Qué pasará?

Complete las siguientes oraciones con la forma apropiada del futuro del verbo entre paréntesis.

1. El avión _____ con retraso porque hay tormenta. (salir)

2. Yo _____ la tarjeta de embarque al subir al avión. (dar)

3. Nosotros _____ en avión el lunes. (viajar)

4. Tú _____ mañana a qué hora sale tu avión. (saber)

5. Ellos no _____ ir a visitarte en verano. (poder)

6. Mañana _____ niebla en el aeropuerto. (haber)

7. ¿Dónde _____ mi tarjeta de embarque? (estar)

8. Uds. nos _____ dónde está la puerta de embarque. (decir)

## 12 Hoy y mañana

Escriba las siguientes oraciones en el futuro. Siga el modelo.

MODELO    Yo sé cuándo sale el avión.
          Yo sabré cuándo sale el avión.

1. No puedo ir a tu fiesta.

_____

2. Nosotros compramos un boleto para San Blas.

_____

3. Tú sales de casa a las ocho.

_____

4. Uds. ponen la tarjeta de embarque en la bolsa.

_____

5. Carol tiene tiempo para llegar al aeropuerto.

_____

## 13 Yo mañana...

Escriba un párrafo explicando qué harán Ud. y sus amigos mañana. Pueden ser actividades reales o inventadas *(made up)*. Use al menos seis verbos en el futuro.

_____

_____

_____

_____

_____

_____

_____

## 14 No creo

Complete las siguientes oraciones con la forma apropiada del subjuntivo del verbo entre paréntesis. Siga el modelo.

**MODELO**   No creo que tu hermana <u>venga</u> con nosotros. (venir)

1. Dudo que el avión _____ retrasado. (estar)

2. No creo que tus amigos _____ venir con nosotros. (querer)

3. No estoy seguro de que ellos _____ a tiempo. (llegar)

4. Tal vez yo _____ a visitarte en vacaciones. (ir)

5. Ojalá tú _____ venir. (poder)

6. Niego que ella _____ miedo de ir en avión. (tener)

7. Ella no piensa que nosotros _____ mucho dinero en el viaje. (gastar)

8. Tal vez mañana _____ buen tiempo. (hacer)

## 15 Correo a un amigo

Escriba un mensaje de correo electrónico a un(a) amigo/a comentándole un viaje que va a hacer y lo que cree que pasará. Use al menos cinco expresiones de la lista.

| dudar que | (no) creer que | (no) pensar que | (no) estar seguro/a de que |
|---|---|---|---|
| negar que | tal vez | ojalá | quizá |

| ▼ | Normal ▼ | MIME ▼ | QP 📑 📄 ▪| 📑 | Enviar |
|---|---|---|---|---|

**Para:**
**De:**
**Cc:** Viaje
**Asunto:**

_____

_____

_____

_____

_____

_____

_____

_____

_____

_____

_____

# Lección B

## 1 El albergue

Empareje cada ilustración con la palabra o expresión apropiada.

A.

E.

B.

F.

C.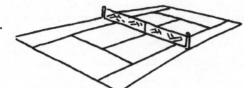

G.

D.

H.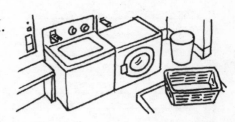

_____ 1. el registro

_____ 2. el servicio de lavandería

_____ 3. la cama sencilla

_____ 4. la cancha de tenis

_____ 5. dar al mar

_____ 6. la conserje

_____ 7. la cama doble

_____ 8. la bañera

## 2  ¿Dónde nos alojamos?

Complete las siguientes oraciones con la palabra o expresión apropiada del paréntesis.

1. Viajo solo y quiero una _____. (cancha de tenis / cama sencilla)

2. Todas nuestras habitaciones _____ mar. (dan al / van al)

3. No _____ desayuno. (incluimos / pagar)

4. Esta cama es muy _____. (disponible / blanda)

5. Para quedarse en el hotel tiene que firmar el _____. (registro / conserje)

6. Tenemos muchas habitaciones _____. (disponibles / facilidades)

## 3  Hablando con el conserje

Escriba un breve diálogo entre un viajero y el conserje de un hotel. Use al menos cinco palabras de la lista.

| dar a | por adelantado | disponible | blando | servicio de lavandería |
|-------|----------------|------------|--------|------------------------|
| firme | registro | incluir | facilidades | bañera |

_____

_____

_____

_____

_____

_____

_____

_____

_____

_____

## 4 El volcán Arenal

Complete las siguientes oraciones sobre el volcán Arenal.

1. ¿Dónde está el volcán Arenal?

_____

_____

2. ¿Qué pasó en 1968?

_____

_____

3. ¿Cuántas erupciones tiene el Arenal al día, por promedio?

_____

_____

## 5 ¿Qué haría?

Complete las siguientes oraciones con la forma apropiada del condicional del verbo entre paréntesis. Siga el modelo.

MODELO   Yo <u>viajaría</u> en avión, pero me asusta volar. (viajar)

1. ¿_____ tú una habitación sencilla o doble? (pedir)

2. Yo no _____ qué hacer en ese caso. (saber)

3. Nosotros _____ a visitarte, pero no tenemos dinero. (ir)

4. ¿Uds. _____ por adelantado? (pagar)

5. El conserje me _____ una habitación con vistas,
   pero no hay ninguna disponible. (dar)

6. Lara _____ una cama firme. (querer)

## 6  Sueños

Escriba una oración usando el condicional y la información que se da. Siga el modelo.

MODELO    Laura / ir a Costa Rica
          Laura iría a Costa Rica.

1. Lorenzo / comprar un coche deportivo

_____

2. yo / quedarse en un hotel de lujo

_____

3. tú / poder visitar países lejanos

_____

4. nosotros / pagar por adelantado todo el viaje

_____

5. Uds. / saber cómo pasarla bien

_____

6. Emma /salir a cenar todos los días

_____

## 7  En el hotel

Complete las siguientes oraciones con el condicional del verbo apropiado de la lista.

poder    tener    ser    dar    informar    decir

1. ¿Me _____ Ud. una cama más blanda?

2. ¿Les _____ decir tú dónde está la cancha de tenis?

3. El conserje _____ unos 35 años.

4. Cuando llegamos al hotel, _____ las cuatro de la tarde.

5. Yo les _____ quién es el conserje.

6. ¿Uds. me _____ sobre Costa Rica?

## 8 ¡Imaginación!

Imagine que ha ganado muchos millones en la lotería. Escriba un párrafo explicando qué haría y cómo reaccionarían sus amigos. Use al menos ocho verbos en el condicional.

_____

_____

_____

_____

_____

_____

_____

_____

_____

_____

_____

_____

_____

_____

_____

## 9 En el parque nacional

Mire la ilustración de abajo y escriba la palabra o expresión que corresponde a cada número.

1. _____   6. _____

2. _____   7. _____

3. _____   8. _____

4. _____   9. _____

5. _____   10. _____

## 10 Un paseo por la reserva

Complete la siguiente carta escogiendo las palabras o expresiones apropiada de la lista.

cabalgata    reserva natural    navegaremos por rápidos

protegen    silvestre    bucear

Querida Juana,

El lunes llegamos a la (1)_____. Aquí

(2)_____ la vida (3)_____ y por

eso hay muchos animales. Mañana iremos a (4)_____ a un

lago. Ayer, hicimos una (5)_____ por el sendero y esta tarde

(6)_____.

Cariños,
Bea

## 11 Su carta

Escriba una carta parecida a la anterior a un(a) amigo/a. Use al menos cinco de las palabras de la lista de la actividad diez.

_____

_____

_____

_____

_____

_____

_____

_____

## 12 ¡Me fastidia!

Complete las siguientes oraciones con la forma apropiada del subjuntivo del verbo entre paréntesis.

1. Al guía le fastidia que nosotros _____ tarde. (levantarse)

2. Me encanta que en el parque _____ muchos animales. (haber)

3. Tengo miedo de que tú te _____ de la balsa. (caer)

4. Tú temes que _____ un jaguar. (aparecer)

5. Nosotros nos alegramos de que Uds. _____ a la reserva. (venir)

6. A mi madre le preocupa que Sara _____ en el parque. (perderse)

## 13 Emociones

Escriba oraciones usando el subjuntivo cuando sea necesario y la información que se da. Siga el modelo.

MODELO   yo / tener miedo / tú perderte
_Tengo miedo de que te pierdas._

1. ellos / alegrarse / nosotros ir a visitarlos

_____

2. yo / encantar / haber muchos animales diferentes

_____

3. tú / temer / ser peligroso ir en balsa

_____

4. la profesora /complacer / Uds. aprender muchas cosas en la reserva

_____

## 14 Preguntas personales

Conteste las siguientes preguntas personales, usando el subjuntivo.

1. ¿Qué cosas le fastidian más?

_____

_____

_____

2. ¿Qué cosas le agradan?

_____

_____

_____

3. ¿Qué le interesa?

_____

_____

_____

4. ¿Qué le sorprende?

_____

_____

_____

5. ¿Qué le enoja?

_____

_____

_____

## 15 Itinerario por el parque nacional

Imagine que Ud. es un viajero experto. Prepare un itinerario por un parque nacional de Costa Rica para un(a) amigo/a que va a ir. Si puede, incluya un mapa del parque. Dígale a su amigo/a:

- Cosas que debe hacer antes de ir al aeropuerto
- Lugares donde puede quedarse y servicios de cada uno
- Actividades que Ud. le recomendaría hacer
- Animales y cosas que puede ver

Puede buscar información en la internet.

_____

_____

_____

_____

_____

_____

_____

_____

_____

_____

_____

_____

_____

# Capítulo 7

## Lección A

### 1 Frutas, verduras y condimentos

Mire las ilustraciones y escriba el nombre de cada alimento.

1. _____

2. _____

3. _____

4. _____

5. _____

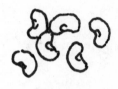

6. _____

7. _____

8. _____

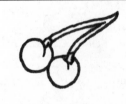

9. _____

10. _____

## 2 En el mercado

Complete el siguiente diálogo con la palabra apropiada de la caja.

espinacas    bolivianos    **verdes**

*repollo*    condimentos

*puesto*    gramos    *sabrosas*

**orégano**    agrias    podrido    damascos

A: Buenos días. Quiero 200 (1) _____ de lentejas.

B: Aquí tiene. Tengo también unos (2) _____ muy ricos.

A: Ay, no. Esos damascos están todavía (3) _____. ¿Cuánto

cuestan las (4) _____?

B: Cuestan 5 (5) _____ el kilo.

A: Muy bien. ¿Son (6) _____ esas cerezas?

B: No, son muy (7) _____.

A: Pues necesito 500 gramos. Ah, y un (8) _____ que no esté

(9) _____.

B: Son 20 bolivianos en total.

A: ¿Tiene (10) _____?

B: No. Para eso tiene que ir al (11) _____ de

(12) _____.

## 3 El Carnaval de Oruro

Conteste las siguientes preguntas sobre el Carnaval de Oruro.

1. ¿Dónde está Oruro?

_____

_____

2. ¿De dónde viene la tradición del Carnaval de Oruro?

_____

_____

3. ¿Quiénes participan en el carnaval?

_____

_____

## 4 ¿Más o menos?

Escriba una frase comparando los elementos, según la información que se da. Siga el modelo.

**MODELO**    damascos / + agrio / cerezas
Los damascos son más agrios que las cerezas.

1. yo / + joven / tú

_____

_____

2. lentejas / + picante / garbanzos

_____

_____

3. repollo / costar - / espinacas

_____

_____

4. plátano / + verde / manzana

_____

_____

## 5 ¿Son iguales?

Complete las siguientes oraciones con el comparativo de igualdad del adjetivo o adverbio entre paréntesis. Siga el modelo.

MODELO    Estos frijoles son <u>tan buenos como</u> esos garbanzos. (bueno)

1. Yo cocino _____ mi madre. (bien)

2. Este plato está _____ el tuyo. (picante)

3. Estas uvas están _____ estos damascos. (agrio)

4. Mi hermano corre _____ tú. (rápido)

5. Los condimentos son _____ las legumbres. (importante)

6. La fruta es _____ la verdura. (bueno)

## 6 Comparaciones

Escriba comparaciones de igualdad con la información que se da. Siga el modelo.

MODELO    para esta receta / yo / necesitar / = / orégano / perejil
          <u>Para esta receta yo necesito tanto orégano como perejil.</u>

1. en este puesto / ellos / vender / = / ají / otro puesto

_____

2. tú / comprar / = / cerezas / manzanas

_____

3. en esta clase / haber / = / chicos / chicas

_____

4. yo / tener / = / condimentos / legumbres

_____

## 7 El mejor

Escriba oraciones usando el superlativo y la información que se da. Siga el modelo.

**MODELO**    este puesto / ser / + bueno / de la ciudad
<u>Este puesto es el mejor de la ciudad.</u>

1. mi primo / ser / + joven / de la familia

_____

2. este restaurante / ser / + caro / de la ciudad

_____

3. estas verduras / ser / + frescas / del mercado

_____

4. este repollo / ser / podrido / de todos

_____

## 8 ¡Divertidísimo!

Conteste los comentarios de su amigo con adjetivos con **-ísimo/a/os/as**. Siga el modelo.

**MODELO**    Eduardo es muy amable.
<u>Sí, es amabilísimo.</u>

1. Estas lentejas están muy calientes.        4. Estos ejercicios son muy largos.

_____        _____

2. El repollo es muy caro.                    5. Tus padres están muy felices.

_____        _____

3. Las espinacas están muy frescas.           6. Este ají está muy picante.

_____        _____

## 9 Sopa de letras

Encuentre diez verbos relacionados con cocinar. Después escriba cinco oraciones usando cinco de los verbos.

```
R  F  F  W  A  N  G  W  U  G  T  Q  B  Y  M
M  E  K  C  S  F  C  H  Q  L  Y  K  C  E  R
E  R  V  D  A  I  M  O  V  Q  N  Z  Z  I  I
R  Y  I  O  R  A  I  R  F  N  E  C  F  O  T
J  F  Q  V  L  H  H  N  D  P  L  A  Q  Y  A
P  I  C  A  R  V  O  E  I  A  E  M  E  O  B
B  G  J  U  O  E  E  A  R  O  G  L  Z  O  C
H  H  P  Z  O  S  H  R  Y  J  R  J  A  O  P
A  Z  N  R  J  L  Q  Y  Y  E  X  W  Q  R  T
Z  Q  S  Y  N  R  V  C  C  O  G  I  H  M  N
S  P  L  G  Y  Z  F  O  M  T  F  Z  Z  A  E
Q  K  Y  L  F  Y  C  T  W  O  J  I  T  I  B
```

1. _____

_____

2. _____

_____

3. _____

_____

4. _____

_____

5. _____

_____

## 10 En el instituto de cocina

Complete las siguientes oraciones con la palabra apropiada de la caja.

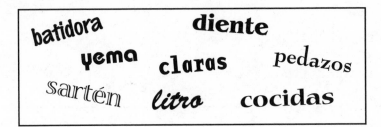

batidora    diente
yema    claras    pedazos
sartén    litro    cocidas

1. La _____ del huevo es amarilla.

2. Necesito un _____ de leche.

3. Esta receta lleva un _____ de ajo.

4. Tienes que batir las _____ del huevo separadas de las yemas.

5. Pon más aceite en la _____.

6. Usa la _____ para batir la mezcla.

7. Estas verduras aún no están _____.

8. Corta el repollo en _____ pequeños.

## 11 La yuca

Diga si las siguientes oraciones son ciertas (C) o falsas (F).

C    F    1. La yuca es de la familia de la papa.

C    F    2. La yuca sólo se puede cultivar en verano.

C    F    3. De la yuca, se puede aprovechar toda la planta.

C    F    4. La harina de la yuca es rica en proteínas.

C    F    5. La yuca es un alimento muy caro.

C    F    6. En Bolivia se come muy poca yuca.

## 12 Todos ayudamos

Escriba las siguientes oraciones en voz pasiva. Siga el modelo.

> **MODELO**  Ella asa la carne.
> <u>La carne es asada por ella.</u>

1. Mis hermanos lavarán los platos.

   _____

2. Uds. pelan las papas.

   _____

3. Tú preparaste la mesa.

   _____

4. Mi madre hornea el pastel.

   _____

5. Mi padre mezcla la ensalada.

   _____

## 13 En la cocina

Escriba una oración usando la voz pasiva en **se** o la tercera persona del plural y la información que se da. Siga el modelo.

> **MODELO**  picar la cebolla
> <u>Se pica la cebolla. / Pican la cebolla.</u>

1. servir la cena a las 9

   _____

2. cortar las papas a pedazos

   _____

3. asar la carne en el horno

   _____

4. batir los huevos muy bien

   _____

## 14 ¿Cómo están?

Complete las siguientes oraciones con la forma apropiada de **estar** y el participio del verbo entre paréntesis. Siga el modelo.

> **MODELO**   La mesa está preparada. (preparar)

1. La comida _____. (servir)

2. El libro de cocina _____. (abrir)

3. Los platos _____. (poner)

4. La cena _____. (hacer)

5. El vaso _____. (romper)

6. Los problemas _____. (resolver)

7. Estas películas en DVD _____. (ver)

8. Este ejercicio _____. (terminar)

## 15 ¿Te ayudo?

Imagine que Ud. está cocinando y su amigo/a llega a ayudarlo cuando ya está todo hecho. Conteste sus preguntas usando **estar** y el participio. Siga el modelo.

> **MODELO**   ¿Pelo las papas?
> No, las papas ya están peladas.

1. ¿Corto el repollo?

_____

2. ¿Pongo la mesa?

_____

3. ¿Hago la ensalada?

_____

4. ¿Cubro el pastel?

_____

5. ¿Abro el horno?

_____

6. ¿Escribo la receta?

_____

## 16 Su receta favorita

Escriba cómo se prepara su receta favorita. Use al menos tres oraciones en voz pasiva y tres verbos con la forma **estar + participio.**

Ingredientes:

_____

_____

_____

_____

Preparación:

_____

_____

_____

_____

_____

_____

_____

_____

_____

_____

## ◆ Lección B

### 1  Una fiesta muy especial

Observe la ilustración y después escriba debajo la palabra o expresión que define
cada número.

1. _____     5. _____     9. _____

2. _____     6. _____     10. _____

3. _____     7. _____     11. _____

4. _____     8. _____     12. _____

## 2 Fiestas y modales

Complete las siguientes oraciones con la palabra o expresión apropiada del paréntesis.

1. ¿Puedo _____ la conversación? Te llaman por teléfono, Juan.
   (bostezar / interrumpir)

2. Es importante tener buenos _____. (almendras / modales)

3. La persona que da una fiesta en su casa es el _____. (invitado / anfitrión)

4. Hay que _____ bien las nueces. (masticar / taparse)

5. El disc jockey trajo su propio _____. (sistema de audio / volumen)

6. Cuando bostezas, tienes que _____ la boca. (taparte / comportarte)

7. No oigo la música. ¿Puedes subir el _____? (parlante / volumen)

8. Quiero aprender _____ nuevos para la fiesta. (pasos de baile / bocadillos)

## 3 Su fiesta favorita

Escriba un breve párrafo en el que describa su fiesta favorita. Explique quién era el anfitrión, quiénes eran los invitados, si había música y qué había para comer.

_____

_____

_____

_____

_____

_____

_____

_____

_____

_____

## 4 Inti Raymi

Conteste las siguientes preguntas sobre el Inti Raymi.

1. ¿Qué es el Inti Raymi?

_____

_____

2. ¿Qué quiere decir Inti Raymi?

_____

_____

3. ¿En qué lugar se celebra el Inti Raymi?

_____

_____

4. Escriba otras cosas que sepa sobre esta celebración.

_____

_____

_____

_____

## 5 Si supieras...

Complete las siguientes oraciones con el imperfecto de subjuntivo del verbo entre paréntesis. Siga el modelo.

**MODELO** Sugeriría que <u>te taparas</u> la boca al bostezar. (taparse)

1. Sería bueno que tú _____ bien. (comportarse)

2. Quería que Uds. _____ la música. (subir)

3. Leo le dijo al disc jockey que _____ música bailable. (poner)

4. Mi madre me dijo que yo _____ a la fiesta. (ir)

5. Los anfitriones querían que nosotros _____ nueces. (traer)

## 6 ¿Qué dijeron?

Escriba una oración explicando qué dijeron las siguientes personas. Siga el modelo.

**MODELO**    Rosa: "Uds. traigan bocadillos, por favor".
Rosa dijo que nosotros trajéramos bocadillos.

1. Mis padres: "Uds. compórtense bien".

_____

2. El anfitrión: "Que los invitados lleguen a las ocho".

_____

3. Tú: "Que José compre los bocadillos".

_____

4. El disc jockey: "Que los anfitriones empiecen a bailar".

_____

5. Nosotros: "Tú pon música bailable".

_____

## 7 ¿Qué sugeriría Ud.?

Escriba una oración con lo que Ud. sugeriría a cada persona en las situaciones de abajo. Siga el modelo.

**MODELO**    Sara quiere hacer una fiesta pero no sabe cocinar.
Yo le sugeriría que los invitados trajeran comida.

1. A Ricardo y a Juanma les gusta bailar pero no saben pasos de baile.

_____

_____

2. Luisa está invitada a una fiesta importante y no sabe cómo comportarse.

_____

_____

3. Uds. quieren un disc jockey para su fiesta pero no tienen dinero.

_____

_____

## 8 La fiesta de fin de año

Escriba un diálogo entre un grupo de jóvenes que estuvieron en la fiesta de fin de año y comentan con sus amigos cómo fue. Use al menos cuatro verbos en el imperfecto del subjuntivo.

Deben incluir los siguientes temas:
- los anfitriones
- los invitados
- la comida
- la música

_____

_____

_____

_____

_____

_____

_____

_____

_____

_____

_____

_____

_____

_____

## 9 Crucigrama

Haga el siguiente crucigrama.

**Horizontales**

4. Tenemos pechuga de pollo ____ de verduras.

5. El plato principal es salmón ____.

7. El ____ lo servimos con papas fritas.

9. Las ____ dan sabor a la comida.

11. ¿Te gusta la ____ de pavo?

12. El ____ se hace con pescado crudo.

**Verticales**

1. No me gusta este plato porque está muy ____.

2. Quiero carne a la ____.

3. Quiero ____ con salsa de tomate.

6. Voy a ____ al cocinero porque el cordero marinado está muy salado.

7. Necesito una ____ de aceite para hacer las papas fritas.

8. El ____ es la persona que va al restaurante.

10. Cuando algo tiene mucha sal está ____.

## 10 El menú del restaurante

Complete el menú del restaurante con palabras o expresiones de la lista.

| | | | | |
|---|---|---|---|---|
| a la parrilla | ahumado/a | marinado/a | frito/a | ceviche |
| cordero | fideos | botella | relleno/a | especias |

### Menú del día

✖ **Para empezar**

• (1)_____
con salsa de tomate

• Ensalada

🍽 **Platos principales**

Salmón (2)_____

Bistec (3)_____

con papas (4)_____

(5)_____ asado

Carne (6)_____

Pescado (7)_____

con (8)_____

Pechuga de pavo (9)_____

_____

🍷 **Bebidas**

(10)_____
de agua mineral

## 11 Preguntas para el mesero

Escriba un diálogo entre un mesero y el cliente de un restaurante, en el que el cliente le pregunta cosas sobre el menú al mesero.

_____

_____

_____

_____

_____

## 12 Busco...

Complete las siguientes oraciones con el presente del subjuntivo o del indicativo del verbo entre paréntesis, según corresponda. Siga el modelo.

**MODELO** ¿Hay alguien aquí que <u>conozca</u> un buen restaurante? (conocer)

1. No conozco a nadie a quien no le _____ los pasteles. (gustar)

2. Quiero que alguien me _____ a hacer pollo relleno. (enseñar)

3. Mi madre siempre cocina con una salsa que _____ muchas especias. (tener)

4. Conozco a un buen cocinero que _____ hacer recetas peruanas. (saber)

5. ¿Sabes de alguna receta que _____ muchas especias? (usar)

6. Quiero un ceviche que no _____ muy salado. (estar)

7. Busco a una persona que _____ buena cocinera. (ser)

8. Gonzalo _____ muy bien. (cocinar)

## 13 Recetas y cocineros

Vuelva a escribir las siguientes oraciones, usando la nominalización y el pronombre relativo **que.** Siga el modelo.

**MODELO** Me gusta más el pollo relleno que el pollo asado.
<u>Me gusta más el pollo relleno que el asado.</u>

1. El plato que más me gustó fue el cordero.

_____

2. Compré las almendras saladas, no las almendras ahumadas.

_____

3. El ceviche que tú preparas es mejor que el ceviche del restaurante.

_____

4. Quiero la fruta que sea más dulce.

_____

## 14 El menú para la fiesta

Ud. y su amigo/a están organizando una fiesta peruana, pero no saben qué poner para comer ni cómo preparar recetas peruanas. Escriba un diálogo en el que Ud. y su amigo/a hablen de las cosas que podrían hacer para la fiesta, quién podría prepararlas y qué necesitarían. Use al menos seis verbos en subjuntivo y tres nominalizaciones.

_____

_____

_____

_____

_____

_____

_____

_____

_____

_____

_____

_____

_____

_____

_____

_____

## Su propio restaurante

Imagine que Ud. es el dueño de un restaurante de lujo. Diseñe el menú de su restaurante. Escriba los platos que sirven y una breve descripción de cada uno. Si quiere, puede inventar un nombre para el plato y explicar qué lleva. ¡Use la imaginación!

**MODELO**  Frijoles Cuzco

Deliciosos frijoles asados con especias de las montañas peruanas.

# Capítulo **8**

## ◆ Lección A

### 1 En el hospital

Empareje cada ilustración con la palabra o expresión apropiada.

A.

B.

C.

D.

E.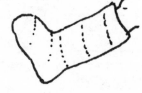

F.

G.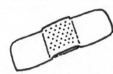

H.

I.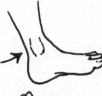

J.

_____ 1. sala de emergencias

_____ 2. la muñeca

_____ 3. el tobillo

_____ 4. la venda

_____ 5. la curita

_____ 6. el yeso

_____ 7. la silla de ruedas

_____ 8. las muletas

_____ 9. la radiografía

_____ 10. los puntos

## La muñeca quebrada

Complete el siguiente diálogo con la palabra o expresión apropiada de la caja.

> clínica   venda   asuste   examine   quebrada   marear
> torcí   resbalé
> caída   yeso   radiografía   muñeca

A: Hola, doctor. Me duele mucho la (1) _____.

B: Déjeme que la (2) _____. ¡Ah, lo siento! pero la tiene

(3) _____.

A: ¡Ay, no! Creo que me voy a (4) _____…

B: No se (5) _____. Le voy a poner un

(6) _____ y ya le va a doler menos. ¿Cómo se hizo daño?

A: Me (7) _____ en la calle, y en la

(8) _____ me (9) _____

la muñeca. ¿Cuánto tiempo tengo que llevar el yeso?

B: Dos semanas. Después le quitaremos el yeso y le pondremos una

(10) _____.

A: ¿No me van a hacer una (11) _____?

B: Sí, ahora se la haremos.

A: Muchas gracias por todo, doctor.

B: De nada. Ya verá que dentro de un mes ya se habrá olvidado de su visita a esta

(12) _____.

## 3 Remedios de la medicina maya

Escriba un breve párrafo con las cosas que recuerde sobre los remedios de la medicina maya.

_____

_____

_____

_____

_____

_____

_____

## 4 ¿Qué les duele?

Escriba una oración diciendo qué le duele a cada persona, según la ilustración y la información que se da. Siga el modelo.

MODELO    Vicente

A Vicente le duele la cabeza.

1. yo

_____

3. Uds.

_____

2. Tina

_____

4. tú

_____

## ¿Qué habrá pasado?

Complete las siguientes oraciones con el futuro perfecto del verbo entre paréntesis. Siga el modelo.

**MODELO**   Para el mes próximo yo ya <u>habré terminado</u> las clases. (terminar)

1. Para el lunes a ti el doctor ya te _____ el yeso. (quitar)

2. Yo ya _____ todos los bocadillos para las ocho. (hacer)

3. Tú ya te _____ de la fractura para el día del partido. (olvidar)

4. Nosotros ya _____ la fiesta para la semana próxima. (preparar)

5. El martes el antiséptico _____. (acabarse)

6. Uds. ya _____ a la clínica cuando empiece la tormenta. (llegar)

## 6 Yo habría...

Su amigo/a le explica todo lo que hizo y lo que pasó en el hospital tras un accidente. Escriba oraciones con la información que se da, diciendo qué habría hecho Ud. y otras personas si hubieran estado en el hospital. Siga el modelo.

**MODELO**   Yo esperé en la sala principal. (yo / esperar en la sala de emergencias)
   <u>Yo habría esperado en la sala de emergencias.</u>

1. Mi madre le puso una curita a mi hermano. (mi madre / poner una venda)

_____

2. Nosotros llegamos tarde a ver al doctor. (mis hermanos y yo / llegar a tiempo)

_____

3. El doctor le dio un antiséptico a mi hermanito. (mi doctor / dar aspirinas)

_____

4. Tú esperaste mi llamada. (tú / ir a la clínica con la familia)

_____

## 7 Para entonces...

Escriba oraciones, usando elementos de las tres columnas de abajo. Escriba tres oraciones en el futuro perfecto y tres en el condicional perfecto. Siga el modelo.

**MODELOS**  Para el viernes la profesora habrá corregido los exámenes.

Yo habría corregido los exámenes para el jueves.

| A | B | C |
|---|---|---|
| yo | corregir los exámenes | mañana |
| la profesora | quitar las vendas | la semana próxima |
| tú | poner una curita | el mes próximo |
| mis amigos | terminar la tarea | dentro de (uno, dos, tres…) días |
| Uds. | preparar la fiesta | en (una, dos, tres…) semanas |
| nosotros | olvidarse del accidente | lunes, martes, miércoles, etc. |
| la doctora | entrenarse para el partido | el fin de semana |

1. _____

_____

2. _____

_____

3. _____

_____

4. _____

_____

5. _____

_____

6. _____

_____

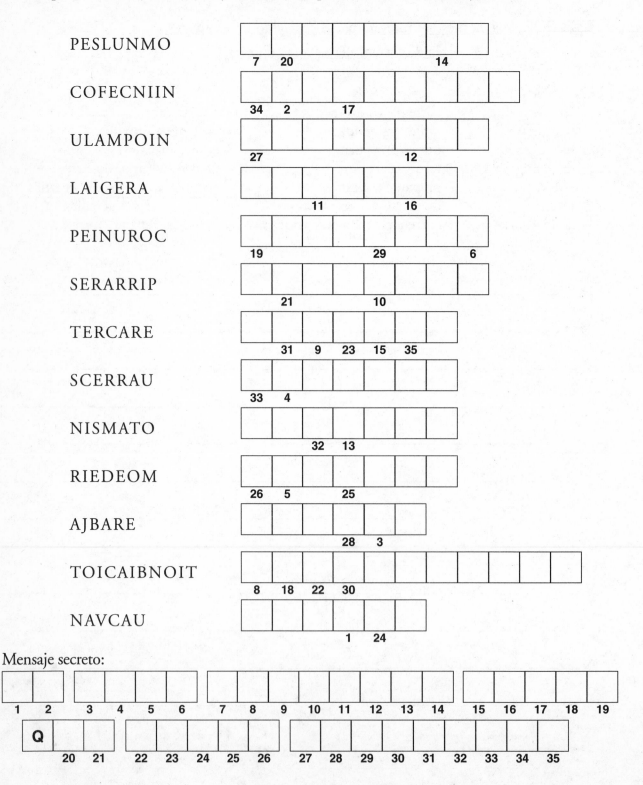

## Mensaje secreto

Ponga las letras en orden para averiguar cada palabra relacionada con la medicina.
Después use los números debajo de las letras para descubrir el mensaje secreto.

PESLUNMO

COFECNIIN

ULAMPOIN

LAIGERA

PEINUROC

SERARRIP

TERCARE

SCERRAU

NISMATO

RIEDEOM

AJBARE

TOICAIBNOIT

NAVCAU

Mensaje secreto:

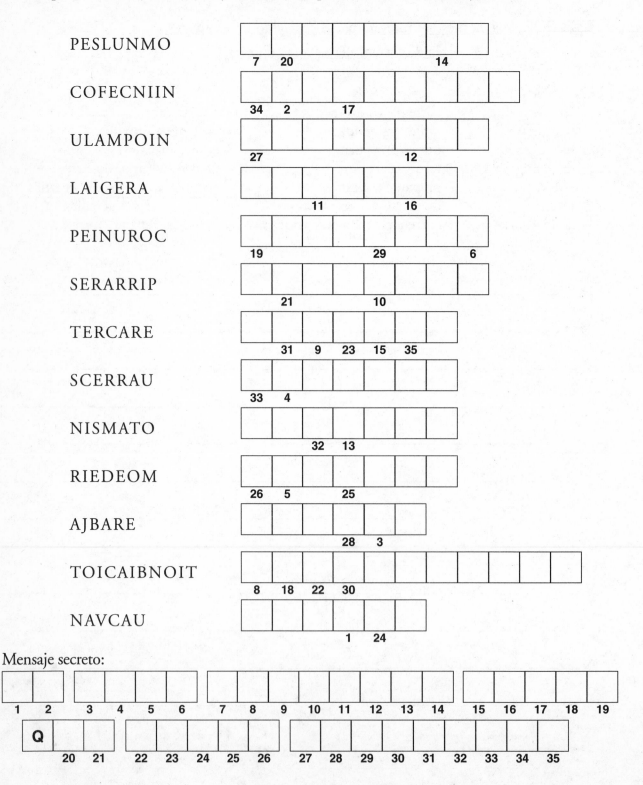

## 9 En la clínica...

Escriba una oración con la palabra a la que corresponde cada ilustración.

1.  papá

_____
_____
_____

2.  mis hermanos

_____
_____
_____

3.  mi abuela

_____
_____

4.  yo

_____
_____
_____

5.  tú

_____
_____
_____

6.  mis amigos

_____
_____
_____

7.  Luis

_____
_____

8.  Andrea y yo

_____
_____
_____

## Baños termales en Guatemala

Conteste las siguientes preguntas sobre los baños termales en Guatemala.

1. ¿Por qué hay muchos baños termales en Guatemala?

   _____

   _____

2. ¿Cómo sale el agua de los baños?

   _____

   _____

3. ¿Para qué es buena el agua de los baños termales?

   _____

   _____

## 11 Hace... que...

Escriba oraciones con la expresión *hace... que...* y la información que se da. Siga el modelo.

MODELO     dos días / ella tomar el jarabe
        Hace dos días que ella toma el jarabe.

1. una semana / mi hermano no toser

   _____

2. un mes / yo llevar muletas

   _____

3. varios días / los pacientes estar en la clínica

   _____

4. unas horas / Sergio doler la barriga

   _____

## 12 Hacía... que...

Vuelva a escribir las oraciones de la actividad once, pero usando el imperfecto, en lugar del presente. Siga el modelo.

MODELO   dos días / ella tomar el jarabe
         Hacía dos días que ella tomaba el jarabe.

1. _____

2. _____

3. _____

4. _____

## 13 ¿Cuánto hace/hacía que Ud....?

Escriba oraciones personales, usando las expresiones **hace... que** o **hacía... que,** según corresponda para cada situación. Siga el modelo.

MODELO   no viajar a otra ciudad
         Hace dos años que no viajo a otra ciudad.
         Hacía dos años que no viajaba a otra ciudad.

1. comprar un regalo para alguien

_____

2. ponerse enfermo

_____

3. darse un golpe

_____

4. tomarse la presión

_____

5. ver un accidente

_____

## 14 Entrevista al Doctor Ceballos

Imagine que Ud. es un reportero y va a entrevistar a un médico muy famoso en todo el mundo. Escriba la entrevista con sus preguntas y también con las respuestas del doctor. Use al menos dos veces las expresiones **hace… que** y **hacía… que.**

# Entrevista al Doctor Ceballos

_____

_____

_____

_____

_____

_____

_____

_____

_____

_____

_____

_____

Nombre: _____  Fecha: _____

## ◆Lección B

### 1 En el gimnasio

Observe la ilustración y después escriba debajo la palabra o expresión apropiada para cada número.

1. _____  4. _____  7. _____

2. _____  5. _____  8. _____

3. _____  6. _____  9. _____

## 2 En forma

Complete las siguientes oraciones con la palabra o expresión apropiada de la caja.

estrés    haz un esfuerzo
mantenerse en forma    calambre    fuerza
evitar    energía    vale la pena

1. ¡_____ hacer ejercicio!

2. Para levantar esa pesa tan grande tienes que tener mucha _____.

3. Hacer ejercicio te da fuerza y _____.

4. Es bueno practicar deporte para _____.

5. Hacer deporte ayuda a no tener _____.

6. ¡_____ y ve al gimnasio dos veces a la semana!

7. ¿Qué haces tú para _____ el estrés?

8. ¡Ay! Me dio un _____ en el pie.

## 3 ¿Ud. hace ejercicio?

Escriba un breve párrafo en el que describa qué hace Ud. para estar en forma.

_____

_____

_____

_____

_____

_____

_____

## 4 Los Juegos Deportivos Estudiantiles

Lea las siguientes oraciones y diga si son ciertas (C) o falsas (F).

C    F    1. Los Juegos Deportivos Estudiantiles se celebran en Honduras desde hace más de 50 años.

C    F    2. 40 estudiantes del país participaron en esos juegos.

C    F    3. En los Juegos Deportivos Estudiantiles sólo se compite en tenis y tae-kwon-do.

C    F    4. Los ganadores de estos juegos compiten después en los Juegos Deportivos Centroamericanos.

## 5 Si...

Complete las siguientes oraciones con el imperfecto del subjuntivo del verbo entre paréntesis. Siga el modelo.

MODELO  Si <u>estudiaras</u> más, sacarías mejores notas. (estudiar)

1. Si tú _____ ejercicio, tendrías más energía. (hacer)

2. Si Jorge _____ cada día, no estaría estresado. (nadar)

3. Yo estaría menos cansado si no _____ tanto. (trabajar)

4. Uds. se sentirían mejor si _____ en forma. (mantenerse)

5. Nosotros iríamos al gimnasio si _____ la pena. (valer)

6. Si ellos _____ pesas, tendrían más fuerza. (levantar)

## 6 Consejos de un jugador de fútbol

Un famoso jugador de fútbol da consejos a jóvenes deportistas en una revista de deporte. Complete la carta que le escribe una chica, con el subjuntivo o el condicional de los verbos entre paréntesis, según corresponda. Después, escriba la respuesta a la carta, como si Ud. fuera el jugador. Use en su respuesta al menos dos verbos en la forma **si** + subjuntivo.

*Querido Raul,*

Soy jugadora de fútbol en el equipo de mi escuela. Me gusta mucho

jugar, pero sufro de calambres. Mi entrenador dice que si yo

*(1. hacer)* _____ cinta y *(2. levantar)* _____

pesas, *(3. estar)* _____ más en forma en los partidos.

Pero cuando entreno, me dan muchos calambres. Si mis compañeros y mi

entrenador *(4. saber)* _____ cuánto me esfuerzo,

no me *(5. criticar)* _____ tanto. ¿Qué

puedo hacer?

*Deportista con problemas*

Querida deportista con problemas,

_____

_____

_____

_____

_____

_____

_____

## 7 ¿Qué haría Ud. si...?

Escriba diez oraciones, usando la estructura **si** + subjuntivo, combinando elementos de las dos columnas. Siga el modelo.

MODELO   <u>Si yo comiera más fruta me sentiría mejor.</u>

| A | B |
|---|---|
| comer más fruta | sentirse mejor |
| hacer más deporte | tener menos estrés |
| nadar | mantenerse en forma |
| levantar pesas | tener más fuerza |
| estirar(se) | tener más energía |
| hacer yoga | ser muy buen deportista |
| caminar | estar más tranquilo |
| ir al gimansio | ser más feliz |
| descansar bien por la noche | tener menos calambres |
| evitar el estrés | acostarse temprano |

1. _____

2. _____

3. _____

4. _____

5. _____

6. _____

7. _____

8. _____

9. _____

10. _____

## 8 Crucigrama

Haga el siguiente crucigrama.

### Horizontales

4. Para una dieta saludable hay que ____ la comida chatarra.
5. Las cosas que comes son los ____.
7. La leche tiene ____.
8. El ____ es una conducta creada por la repetición de un acto.
9. La carne y el pescado tienen muchas ____.
10. Lo que comes cada día es tu ____.
11. Las verduras tienen ____.

### Verticales

1. El pan y la pasta tienen ____.
2. Algo que tiene mucho alimento es ____.
3. Para mantener el peso tienes que evitar las ____.
4. Es importante tener una dieta ____.
6. La fruta tiene muchas ____.

## 9 Dieta saludable

Complete las siguientes oraciones con la palabra o expresión apropiada del paréntesis.

1. Las espinacas tienen mucho _____. (nutritivo / hierro)

2. Es bueno _____ bien. (alimentarse / evitar)

3. Los cereales y las verduras tienen _____. (fibra / saludable)

4. Una dieta _____ incluye proteína, carbohidratos y fibra.
   (chatarra / equilibrada)

5. Para tener _____ es bueno comer de todo y hacer ejercicio.
   (peso / energía)

6. La _____ es lo que mide una persona.
   (alimentación / estatura)

## 10 Preguntas personales

1. ¿Qué proteínas come Ud.?

   _____

2. ¿Qué alimentos con fibra come?

   _____

3. ¿Cuál es su comida chatarra favorita?

   _____

4. ¿Qué alimentos con calcio come?

   _____

## 11 Preposiciones y pronombres

Complete las siguientes oraciones con la palabra o expresión apropiada del paréntesis. Siga el modelo.

**MODELO**   Quiero hacer una dieta <u>contigo</u>. (con ti/ contigo)

1. Conozco un profesor de nutrición. Puedes hablar con _____ de tu dieta. (sí / él)

2. _____, tengo que comer más fibra. (según ti / según tú)

3. Ella quiere mantenerse en forma _____. (por sí misma / por ella)

4. Este libro es _____. (para mí / para yo)

5. Si quieres, yo voy al gimnasio _____. (por tú / por ti)

6. Vamos a empezar la clase de gimnasia _____. (sin mí / sin ellos)

## 12 Hábitos

Escriba oraciones con la información que se da, usando el pronombre apropiado detrás de cada preposición. Siga el modelo.

**MODELO**   yo / ir al mercado / con tú
            <u>Yo voy al mercado contigo.</u>

1. mi hermana / cocinar / para ella misma

   _____

2. él / comprar las vitaminas / por yo

   _____

3. yo / tener un libro de nutrición / para tú

   _____

4. según / él / Sonia / tener que comer más grasas

   _____

## 13 Nutrición

Complete las siguientes oraciones con la preposición apropiada de la caja.

sin al después de por para de

1. Es importante comer bien _____ mantenerse en forma.

2. ¿No estás cansado _____ comer comida chatarra?

3. _____ cambiar tus hábitos, te sentirás mejor.

4. Es difícil hacer ejercicio _____ salir de casa.

5. Muchas gracias _____ acompañarme al doctor.

6. No es bueno nadar _____ comer.

## 14 Sus hábitos alimenticios

Escriba un breve párrafo sobre sus hábitos alimenticios. Use al menos cuatro preposiciones seguidas de infinitivo.

_____

_____

_____

_____

_____

_____

_____

_____

## 15 Cartel de salud

Prepare un cartel para la clase en el que dé consejos de medicina y salud para llevar una vida saludable y feliz. Piense en los consejos que puede dar para diferentes situaciones. Incluya una lista de alimentos saludables y alimentos que es mejor evitar. Diga también qué se debe hacer para mantenerse en forma. Si quiere, busque fotos en revistas y periódicos, o incluya dibujos para ilustrar su cartel.

_____

_____

_____

_____

_____

_____

_____

_____

_____

_____

_____

_____

_____

# Capítulo 9

## Lección A

### 1 En el salón de belleza

Mire las ilustraciones y escriba la palabra o expresión apropiada.

1. _____     2. _____     3. _____

_____     _____     _____

4. _____     5. _____     6. _____

_____     _____     _____

7. _____     8. _____     9. _____

_____     _____     _____

## 2 ¡Quiero una permanente!

Complete las siguientes oraciones con la palabra o expresión apropiada del paréntesis.

1. Quiero una _____ porque quiero tener el pelo rizado.
   (permanente / raya)

2. El _____ deja el pelo muy suave. (estilo / acondicionador)

3. Voy al _____ a cortarme el pelo. (salón de belleza / al fin y al cabo)

4. ¿Por qué no cambias de _____ y te haces un corte diferente?
   (espuma / estilo)

5. Jorge se rapó el pelo porque, _____, vuelve a crecer.
   (al fin y al cabo / a menudo)

6. Susana lleva el pelo cortado en _____. (flequillo / capas)

7. Mi madre lleva un estilo muy _____. (formal / suelto)

8. ¿Quieres que te deje _____? (recogido / flequillo)

## 3 Su pelo

Escriba en un breve párrafo qué tipo de peinado lleva Ud. y cómo se lo cuida.

_____

_____

_____

_____

_____

_____

_____

_____

## 4 Trajes tradicionales aztecas

Conteste las siguientes preguntas sobre los trajes tradicionales aztecas.

1. ¿Qué representaban los trajes aztecas?

   _____

   _____

2. ¿Qué color sólo podía llevar el emperador?

   _____

   _____

3. ¿Cómo era la ropa de los guerreros?

   _____

   _____

4. ¿Hasta dónde podía llegar la ropa de la gente de clase baja?

   _____

   _____

## 5 Lo dudo

Complete las siguientes oraciones con la forma apropiada del presente perfecto del subjuntivo del verbo entre paréntesis. Siga el modelo.

**MODELO**   Dudo que ella <u>haya ido</u> al salón de belleza. (ir)

1. ¡Ojalá que ellos no _____ el pelo de verde! (teñirse)

2. No creo que Paloma se _____ flequillo. (hacer)

3. Espero que para mañana nosotros _____ ir al salón. (poder)

4. ¡No puedo creer que tú no _____ a cortar el pelo a capas! (aprender)

5. Es probable que Uds. _____ de trabajar para las ocho. (terminar)

## 6 ¡Espero que no!

Escriba oraciones con el presente perfecto del subjuntivo y la información que se da.
Siga el modelo.

MODELO   espero / ellos / no raparse el pelo
<u>Espero que ellos no se hayan rapado el pelo.</u>

1. es probable / Uds. / no aprender a usar tintura

   _____

2. es posible / tú / terminar la tarea antes de las tres

   _____

3. temo / Gina / hacerse una permanente

   _____

4. ojalá / mi hermano / no teñirse el pelo de rojo

   _____

## 7 Si yo...

Complete las siguientes oraciones con la forma apropiada del pluscuamperfecto del
subjuntivo del verbo entre paréntesis. Siga el modelo.

MODELO   Si yo <u>me hubiera hecho</u> una permanente, tendría el pelo rizado. (hacerse)

1. Si yo _____ más, habría sacado mejor nota. (estudiar)

2. Esperaba que tú _____ a visitarme. (venir)

3. No creí que ellos _____ el pelo recogido a la fiesta. (llevar)

4. Preferiríamos que ella no _____ el pelo. (teñirse)

5. Nosotros _____ laca, pero se terminó. (ponerse)

6. Si Uds. _____ el pelo, ahora lo tendrían limpio. (lavarse)

## 8 ¡Me arrepiento!

Su amigo y Ud. tuvieron un malentendido. Discutieron y ahora Ud. se arrepiente. Escríbale un correo electrónico explicando cómo habría actuado Ud. si hubiera entendido bien lo que pasó, y pidiéndole disculpas. Use al menos tres verbos en el presente perfecto del subjuntivo y tres en el pluscuamperfecto del subjuntivo.

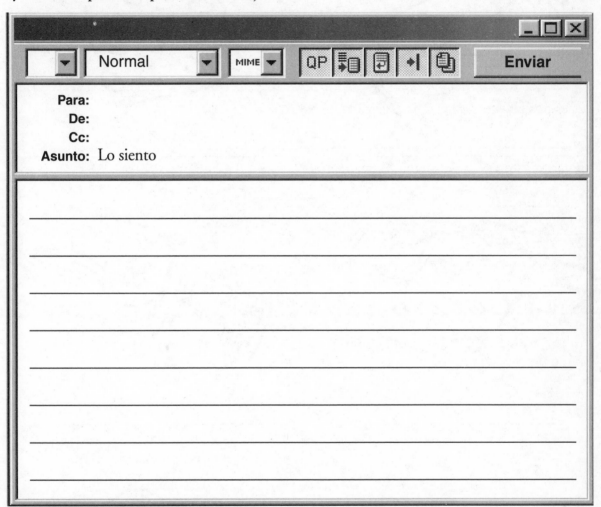

## 9 ¡Dame uno cualquiera!

Complete las siguientes oraciones con **cualquier** o **cualquiera**.

1. Quiero un acondicionador _____ .

2. Para tu pelo puedes usar _____ champú.

3. Él no es un peluquero _____ .

4. En _____ momento, me raparé el pelo.

## 10 De compras

Mire las siguientes ilustraciones y escriba a qué palabra o expresión corresponde cada una.

1.

_____

4.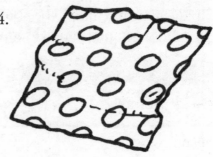

_____

2.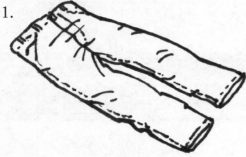

_____

5.

_____

3.

_____

6.

_____

## 11 En la tienda de ropa

Complete el diálogo con la palabra o expresión adecuada de la caja.

sudadera  estampados  morado
de mal gusto  conjuntos
liso  va con  talla  ganga
marino  lunares  estrecho  de rebajas
padrísima

A: Buenos días. Quisiera hacer una devolución, porque esta (1)_____
me queda pequeña.

B: Lo siento, pero no aceptamos devoluciones de la ropa (2)_____.
Pero si quiere, puede cambiarla por otra cosa.

A: Está bien. ¿Tienen (3)_____ de chaqueta y pantalón?

B: Sí, tenemos unos de (4)_____ y estos otros,

(5)_____.

A: Los lunares y los estampados son (6)_____. ¿No tienen ninguno

(7)_____?

B: Sí, pero sólo en color azul (8)_____ o

(9)_____. Si se lo quiere probar, allí está el vestidor.

A: Muchas gracias.

B: ¿Cómo le queda?

A: Me queda un poco (10)_____. Necesito una

(11)_____ más.

B: Aquí tiene. Y tengo una camiseta que (12)_____ este conjunto.
¿Le gusta?

A: Sí, ¡es (13)_____! Y el precio es una (14)_____.

## 12 De compras por los tianguis

Escriba un párrafo con lo que recuerde sobre ir de compras por los tianguis de México.

_____

_____

_____

_____

_____

## 13 De colores

Empareje las siguientes descripciones con el color apropiado.

_____ 1. el mar                     A. amarillito

_____ 2. un pollo pequeñito          B. beige

_____ 3. la ropa de una bebé         C. azul marino

_____ 4. una uva que no es verde     D. verde oscuro

_____ 5. la arena de la playa        E. rosa pálido

_____ 6. un árbol de navidad         F. morada

## 14 ¿De qué color es?

Complete las siguientes descripciones con el género y número apropiados del color entre paréntesis.

1. Me compré unas sandalias _____. (rojo)

2. El vestido de aurora era _____. (amarillo vivo)

3. Rebeca quiere unas medias de color _____. (beige)

4. Roberto se pone una camiseta _____ con los vaqueros. (negro)

5. La sudadera _____ está de rebajas. (anaranjado)

6. Sofía se compró unos zapatos de tacón alto _____. (morado)

## 15 ¿Cómo va vestido Ud.?

Escriba un breve párrafo en el que describa cómo va Ud. vestido y de qué colores es su ropa. Use al menos cinco adjetivos para describir colores.

_____

_____

_____

_____

_____

_____

_____

_____

_____

## 16 ¡Qué pequeñito!

Escriba un diminutivo y un aumentativo para las siguientes palabras. Después utilice cuatro de ellos para escribir cuatro oraciones.

1. bolso _____     _____

2. amigo _____     _____

3. zapato _____     _____

4. ganga _____     _____

1. _____

_____

2. _____

_____

3. _____

_____

4. _____

_____

## Lección B

## 1 En la tintorería

Empareje la descripción de la izquierda con la palabra o expresión correspondiente de la derecha.

_____ 1. La persona que arregla ropa.

A. acortar

_____ 2. Se usa para abrocharse y no es redondo.

B. encogerse

_____ 3. Objeto redondo que se usa para abrocharse.

C. máquina de coser

_____ 4. Sirven para cortar.

D. el metro

_____ 5. Parte de una camisa donde metes el brazo.

E. tijeras

_____ 6. Aparato que cose.

F. sastre

_____ 7. Sirve para medir.

G. botón

_____ 8. Hacer que una ropa larga sea más corta.

H. cremallera

_____ 9. Lo que hace el sastre antes de empezar un traje.

I. manga

_____ 10. Hacerse más pequeño al lavarse.

J. tomar las medidas

## 2 En forma

Complete las siguientes oraciones con la palabra apropiada de la caja.

1. Este vestido me queda muy _____.

2. ¡Uy! Se me cayó salsa en la falda y está _____.

3. Este suéter se _____ al lavarlo y ahora las mangas me quedan largas.

4. Ponte una flor en la _____ del traje, para estar más elegante.

5. Para coser, necesito _____ y aguja.

6. Plancha la camisa, porque está _____.

## 3 Señor sastre...

Escriba un breve diálogo entre un sastre y una cliente en una tintorería. Describa qué necesita la cliente y qué le dice el sastre que tiene que hacer.

_____

_____

_____

_____

_____

_____

## 4 Entrevista con Macario

Lea las siguientes oraciones y diga si son ciertas (C) o falsas (F).

C    F    1. Macario Jiménez es mexicano.

C    F    2. Este diseñador estudió en Italia.

C    F    3. Cuando tenía 9 años ya hacía vestidos para su familia.

C    F    4. Los diseños de Macario son para mujeres de 40 a 60 años.

## 5 Con tal de que...

Complete las siguientes oraciones con la forma apropiada del subjuntivo del verbo entre paréntesis. Siga el modelo.

**MODELO** Lávelo con agua fría para que no <u>se destiña</u>. (desteñirse)

1. Pagaré el dinero con tal de que el sastre me _____ el traje. (arreglar)

2. Tienes que lavar el suéter a mano a fin de que no _____. (encogerse)

3. Aunque tú no _____ venir, yo voy a ir a la fiesta. (querer)

4. Les compré una maleta a mis padres sin que ellos lo _____. (saber)

5. La sastre no sabrá qué hacer con mi vestido a menos que yo se lo _____. (decir)

6. Tienes que acortar las mangas, para que te _____ bien. (quedar)

## 6 Reglas y condiciones

Imagine que tiene que compartir su habitación con un(a) nuevo/a compañero/a. Haga un cartel con una lista de diez reglas y condiciones para antes de que llegue, usando las cláusulas adverbiales de la lista. Siga el modelo.

**MODELO**  No puedes salir a la calle a menos que tu cama esté hecha.

| | | |
|---|---|---|
| aunque | sin que | con tal de que |
| para que | a menos que | a fin de que |

## 7 ¿De quién es?

Escriba de quién son las siguientes cosas, usando pronombres posesivos, según la información que se da. Siga el modelo.

**MODELO** traje / mi hermana

<u>El traje es suyo.</u>

1. pantalones / mi padre

_____.

2. tijeras / yo

_____.

3. vestido estampado / tú

_____.

4. máquina de coser / mis padres

_____.

## 8 Las mías son...

Su amigo/a ha estado lavando la ropa de todos sus amigos y ahora está toda revuelta. Conteste sus preguntas, usando el pronombre posesivo apropiado. Siga el modelo.

**MODELO** ¿Son éstas tus camisetas?

<u>No, las mías son de lunares.</u>

1. ¿Es de Carla este vestido?

_____

2. ¿Es de tus padres esta toalla?

_____

3. ¿Es ésta mi sudadera?

_____

4. ¿Son éstos nuestros vaqueros?

_____

## 9 ¿Qué regalos compras?

Mire la ilustración y escriba la palabra o expresión que corresponde a cada número.

1. _____        7. _____

2. _____        8. _____

3. _____        9. _____

4. _____        10. _____

5. _____        11. _____

6. _____        12. _____

## 10 ¿Qué le regalaría a...?

Diga qué le regalaría a cada persona, según la información que se da. Escoja de las palabras de la caja.

jarrón      llavero
gemelos
tejido bordado      cadena
bandeja

1. A mi tío le gusta vestir bien y llevar camisas buenas. _____

2. Julián necesita un lugar para poner flores. _____

3. Mi hermana quiere una joya para llevar en el cuello. _____

4. A mi madre le gustaría algo para servir comida. _____

5. A mi abuela le gustan las artesanías de tela. _____

6. Para mi padre quiero algo para que ponga sus llaves. _____

## 11 Preguntas personales

1. ¿Qué artesanías le gustan más?

_____

2. ¿Qué joyas le gustan a Ud.?

_____

3. ¿Qué prefiere, el cristal, la cerámica o la arcilla? ¿Por qué?

_____

4. ¿Qué compra de recuerdo cuando va de viaje?

_____

## 12 Escribir es divertido

Complete las siguientes oraciones, usando un infinitivo e información inventada por Ud. Siga el modelo.

**MODELO**   Compré las estampillas después de <u>escribir la carta</u>.

1. El jarrón se rompió al _____.

2. Llegué tarde por _____.

3. _____ es interesante.

4. Entré a la tienda sin _____.

5. Fuimos a su fiesta en vez de _____.

6. Visitamos a tu hermana antes de _____.

## 13 Gerundio o participio

Complete las siguientes oraciones con el gerundio o el participio del verbo entre paréntesis, según corresponda. Siga el modelo.

**MODELO**   Serena está <u>mirando</u> la televisión. (mirar)

1. La bandeja de plata está _____. (romper)

2. El sastre ya ha _____ el botón. (coser)

3. _____ más deprisa llegarás antes. (caminar)

4. _____ por el tiangui, encontramos muchas artesanías. (pasear)

5. El libro _____ está en la estantería. (estudiar)

6. Mis amigas habían _____ artesanías. (comprar)

7. ¿Estás _____ en un hotel? (dormir)

8. Teresa seguía _____ en la medalla de plata. (pensar)

## 14 Diálogo

Escriba un diálogo entre el dueño de una tienda de regalos y un cliente, en el que el cliente le explica al dueño qué tipo de cosas está buscando para regalar a su familia, y el dueño le aconseja qué comprar. Use al menos cinco verbos en participio presente y otros cinco en participio pasado.

_____

_____

_____

_____

_____

_____

_____

_____

_____

_____

_____

_____

_____

_____

_____

_____

## 15 Un catálogo perfecto

Imagine que Ud. es el dueño de una tienda de artículos para el pelo, ropa, regalos, joyas y artesanías, que quiere ahora vender por la internet. Diseñe la página de un catálogo en línea. Incluya lo siguiente:

- los productos que venderá
- una descripción de los productos (talla, estampados y colores para ropa; para artesanías y otros objetos, explique de qué están hechos)
- el precio de cada producto
- foto o dibujo de los productos (opcional)

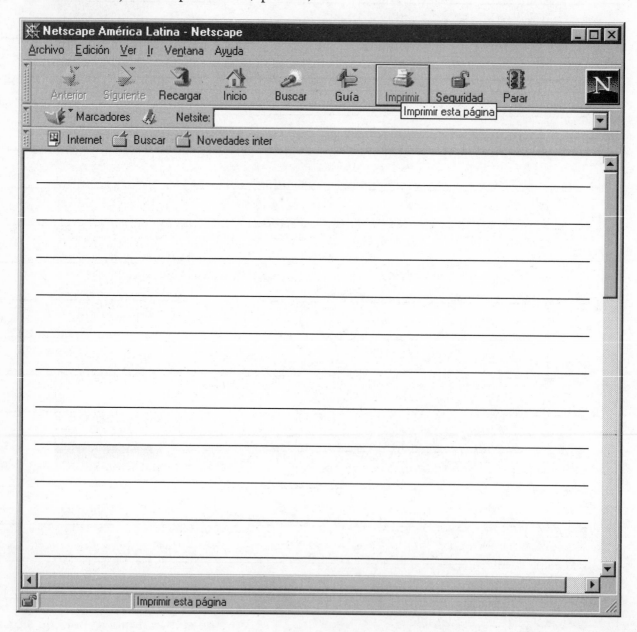

# Capítulo 10

## Lección A

### 1 Crucigrama

Haga el siguiente crucigrama.

**Horizontales**

1. Mi tía estudió relaciones ___.
4. Me gusta la moda y quiero estudiar para ___.
5. Un ___ diseña edificios.
8. Para solicitar este puesto, debes ___ con los requisitos.
10. Quiero ___ el puesto de agente de viajes.
11. ¿Tienen algún ___ disponible en su empresa?
12. Vino un ___ para arreglar la ducha.
13. Soy contador y tengo ___ para las matemáticas.

**Verticales**

2. ¿En qué ___ te gustaría trabajar?
3. Voy a solicitar una ___ en la universidad.
6. ¿Cuáles son los ___ para este puesto?
7. Un ___ es el dueño de una empresa.
9. El ___ es el dinero que te pagan por tu trabajo.
11. Antes de empezar, quiero ponerlo a ___.

## 2 ¿Qué pueden ser?

Lea las siguientes oraciones y escriba a qué profesión o trabajo se refiere cada persona.

_____ 1. Luis: "Me gusta la medicina y ayudar a la gente".

_____ 2. Ana: "Soy muy sociable y me gusta relacionarme con la gente".

_____ 3. Rita: "Tengo pasión por la construcción y me gusta diseñar edificios".

_____ 4. Juana: "Soy emprendedora y quiero tener mi propia empresa".

_____ 5. Dani: "Me gusta arreglar lámparas y conectar aparatos eléctricos".

## 3 Estudios y profesiones

Complete las siguientes oraciones con la palabra apropiada de la lista.

puesto fijo      facilidad      hacer prácticas
media jornada    vale para      a prueba

1. Jorge quiere _____ en una agencia de publicidad.

2. Yo estoy buscando un trabajo de _____ porque estudio.

3. Adela _____ empresaria.

4. Tú tienes _____ para las relaciones públicas.

5. ¿Te pusieron _____ en tu empresa?

6. Mi hermana tiene un _____ en una gran compañía. ¡Qué suerte!

## 4 Las primeras universidades de la Península Ibérica

Conteste las siguientes preguntas sobre las primeras universidades de la Península Ibérica.

1. ¿Cuándo se crearon las primeras universidades de la historia?

_____

_____

2. ¿De qué fueron los primeros estudios?

_____

_____

3. ¿Cuál fue la primera universidad de la Península Ibérica?

_____

_____

4. Mencione otras dos universidades antiguas de esa época.

_____

_____

## 5 Confío en ti

Complete las siguientes oraciones con la forma apropiada del verbo entre paréntesis.
Siga el modelo.

**MODELO** Dudo que ella <u>actúe</u> en la obra de teatro. (actuar)

1. Yo _____ en ti para este puesto. (confiar)

2. Nosotros siempre nos _____ mucho. (reír)

3. Gloria _____ buscando un puesto temporario. (continuar)

4. Espero que ellos _____ este año. (graduarse)

5. ¿_____ tú las papas? (freír)

## 6 Preguntas personales

Conteste las siguientes preguntas personales.

1. ¿En quién confía Ud.?

_____

_____

2. ¿En quién no confía?

_____

_____

3. ¿Cuándo espera su familia que Ud. se gradúe?

_____

_____

4. ¿Qué cosas hacen que Ud. se ría?

_____

_____

5. ¿Qué cosas espera Ud. que cambien en el futuro?

_____

_____

6. ¿Qué cosas continúa Ud. haciendo hoy que ya hacía cuando era pequeño/a?

_____

_____

## 7  ¿Qué te gustaría hacer?

Escriba un diálogo entre dos amigos que hablan de sus estudios o trabajos actuales y lo que les gustaría hacer en el futuro. Use al menos seis verbos de la caja.

cambiar    confiar    estudiar

esperar    continuar    actuar

actuar    evaluar    guiar    graduarse

reír

_____

_____

_____

_____

_____

_____

_____

_____

_____

_____

_____

_____

## 8 Sopa de letras

Encuentre quince palabras relacionadas con una entrevista de trabajo.

```
F T H G R E Q U I S I T O I Q
A I C N E R E F E R C Y A D Ó
C Ñ P A R O E A B U Y É G Y O
A U F S D A D I L I C A F E E
I R R O O A J O R N A D A R V
Q U O R R L B E N E F I C I O
L R É D Í M I U U O N E E U L
I A A P E C U C I B N Y F A A
A L R N J D U L I A B E U R P
A N U O E N N L A T U N E I D
H V X A P L C E U R A C S L P
E E O F Y M L O R M I R A P W
O O U I Ñ A E E N P M O F M I
P S F O N L S T R N M L Q U E
M P T K Y B O Y T E N E U C P
```

## 9 Su currículum

Escriba en esta página su currículum como si Ud. fuera a buscar trabajo en España.

**CURRÍCULUM VITAE**

Foto

_____
_____
_____
_____
_____

**Educación:** _____
_____
_____
_____

**Otros estudios:** _____
_____
_____
_____

**Experiencia de** _____
**trabajo:**
_____
_____
_____
_____

## 10 ¿Subjuntivo o indicativo?

Complete las siguientes oraciones con la forma apropiada del subjuntivo o del indicativo del verbo entre paréntesis, según corresponda.

1. No es verdad que yo _____ experiencia de contador. (tener)

2. Creo que ellos no _____ ser emprendedores. (saber)

3. Es cierto que el jefe _____ lo que necesita la compañía. (evaluar)

4. No es bueno que tú _____ beneficios en la primera entrevista. (pedir)

5. Joaquín dijo que ella _____ el trabajo. (solicitar)

6. Aunque no _____, voy a aceptar el trabajo. (gustar)

## 11 ¿Qué dice Ud.?

Escriba dos oraciones con el verbo en indicativo y dos con el verbo en subjuntivo, sobre el tema de buscar trabajo

1. _____

_____

2. _____

_____

3. _____

_____

4. _____

_____

## 12 Requisitos...

Complete las siguientes oraciones con la forma apropiada del subjuntivo del verbo entre paréntesis.

1. Busco un trabajo que _____ buen salario. (pagar)

2. Pedro quiere un puesto que _____ buenos beneficios. (tener)

3. Necesitamos un estudiante que _____ hacer prácticas. (querer)

4. No conozco a nadie que _____ con los requisitos. (cumplir)

5. Se solicita persona que _____ usar la computadora. (saber)

6. Inés busca una persona que _____ responsable. (ser)

## 13 Necesitamos

Escriba oraciones con el subjuntivo con sujeto indefinido y la información que se da. Siga el modelo.

**MODELO**    yo / buscar / alguien / saber / cuidar niños
              <u>Busco a alguien que sepa cuidar niños.</u>

1. nosotros / solicitar personas / tener coche

   _____

2. tú / buscar un estudiante/ cumplir con los requisitos

   _____

3. ellos / solicitar una persona / tener buenas referencias

   _____

4. yo / necesitar alguien / querer trabajar media jornada

   _____

## 14 Escena: en la entrevista de trabajo

Escriba una escena de una obra de teatro sobre una entrevista de trabajo. Use al menos cinco verbos en subjuntivo. Incluya lo siguiente:

**Personajes:**  jefe/a y candidato/a (o candidatos)
**Lugar:**  oficina
**Acción:**  el/la jefe/a entrevista al/la candidato/a (en forma de diálogo)

_____

_____

_____

_____

_____

_____

_____

_____

_____

_____

_____

_____

_____

_____

_____

# Lección B

## 1 El futuro

Ordene las siguientes palabras. Después use los números para descubrir el mensaje secreto de abajo.

CAVSAEN
[ ][ ][ ][ ][ ][ ][ ]
            8

ERDAIDAL RUVLITA
[ ][ ][ ][ ][ ][ ][ ][ ][ ]   [ ][ ][ ][ ][ ][ ][ ]
              2

TIEVONN
[ ][ ][ ][ ][ ][ ][ ]
                  17

TASEETLI
[ ][ ][ ][ ][ ][ ][ ][ ]
  10

TURNAASOAT
[ ][ ][ ][ ][ ][ ][ ][ ][ ]
            6

CITSAEON CALPAIES
[ ][ ][ ][ ][ ][ ][ ][ ][ ]   [ ][ ][ ][ ][ ][ ][ ][ ]
        11                    21

PISCEAO
[ ][ ][ ][ ][ ][ ][ ]
                7

ENGETIAC
[ ][ ][ ][ ][ ][ ][ ][ ]
                    13

VIRSU
[ ][ ][ ][ ][ ]
        5  24

COCOOSIRIMP
[ ][ ][ ][ ][ ][ ][ ][ ][ ][ ]
      12    22      19

TIMSIAPES
[ ][ ][ ][ ][ ][ ][ ][ ][ ]
    1

MAIPOTTIS
[ ][ ][ ][ ][ ][ ][ ][ ][ ]
  9                4

PICDERRE
[ ][ ][ ][ ][ ][ ][ ][ ]
  20  14          15

CAINOECRMUS
[ ][ ][ ][ ][ ][ ][ ][ ][ ][ ][ ]
            3        23  18  16

**MENSAJE SECRETO**

[ ][ ][F][ ][ ][ ][ ][ ]  [ ][ ][ ]  [ ][ ][ ][ ][ Á]
 1  2      3  4  5  6  7    8  9 10   11 12 13 14 15

[ ][ ][ ][ ][ ][ ][ ][ ][ ]
16 17 18 19 20 21 22 23 24

## 2 ¿Qué pasará?

Complete las siguientes oraciones con la palabra o expresión apropiada entre paréntesis.

1. Mi padre quiere una _____.
   (pantalla de alta definición / genética)

2. En el futuro habrá muchos avances _____.
   (virtual / tecnológicos)

3. Ayer pusieron un _____ en el espacio. (satélite / gen)

4. El estudio de la _____ será muy importante para la
   medicina. (estación espacial / genética)

5. Los científicos _____ que habrá muchos cambios.
   (predicen / desarrollan)

6. Yo creo que habrá _____ espaciales.
   (transbordadores espaciales / genes)

## 3 ¿Qué piensa sobre el futuro?

¿Es Ud. pesimista u optimista sobre el futuro? ¿Qué cree Ud. que pasará? Escriba un breve
párrafo explicando su opinión.

_____

_____

_____

_____

_____

_____

_____

_____

## 4 Pedro Duque, un español en la Estación Espacial Internacional

Conteste las siguientes preguntas sobre Pedro Duque.

1. ¿Quién es Pedro Duque?

_____

2. ¿Qué hizo en su segunda misión?

_____

3. ¿Cuál es su sueño?

_____

4. ¿Cuál fue una de sus experiencias más hermosas?

_____

## 5 Ya lo habré hecho

Complete las siguientes oraciones con la forma apropiada del futuro perfecto del verbo entre paréntesis. Siga el modelo.

**MODELO**  Para las ocho, yo ya <u>habré terminado</u> el ejercicio. (terminar)

1. Para el año 2008, Uds. ya _____ del colegio. (graduarse)

2. El astronauta _____ a otros planetas. (viajar)

3. ¿Se _____ Julián todo el pastel? (comer)

4. Nosotros ya _____ trabajo para el año que viene. (encontrar)

5. Los científicos _____ muchos inventos. (desarrollar)

6. En 2025, la gente ya _____ con otros planetas. (comunicarse)

## 6 Para fin de año

Escriba un párrafo explicando lo que Ud. y sus amigos habrán hecho para cuando se acabe el año.

_____

_____

_____

_____

_____

_____

_____

_____

## 7 Si yo pudiera...

Complete las siguientes oraciones con la forma apropiada del imperfecto de subjuntivo del verbo entre paréntesis. Siga el modelo.

MODELO   Yo quería que tú <u>vinieras</u> al museo conmigo. (venir)

1. Si ellos me lo _____ yo los acompañaría. (pedir)

2. Me gustaría que tú _____ unos días en mi casa. (pasar)

3. Ellos querían que nosotros _____ de viaje con ellos. (ir)

4. Hablan de genética como si ellos _____ en ese campo. (especializarse)

5. Si tú _____ predecir el futuro, ¿qué dirías? (poder)

6. A mis padres les gustaría que yo _____ científico. (ser)

## 8 Preguntas sobre el futuro

Conteste las siguientes preguntas personales.

1. ¿Qué diría Ud. si pudiera predecir el futuro?

_____

_____

2. ¿Qué inventos le gustaría que se desarrollaran?

_____

_____

3. ¿A qué querrían sus padres que se dedicara Ud.?

_____

_____

4. ¿Qué planeta le gustaría visitar si pudiera ir en transbordador?

_____

_____

5. ¿Qué querría Ud. que hubiera en el futuro?

_____

_____

6. ¿Qué le gustaría a Ud. que cambiara en el futuro?

_____

_____

# 9 Sobre el medio ambiente

Empareje cada ilustración con la palabra o expresión apropiada.

A.

B.

C.

D.

E.

F.

G.

H.

I.

J.

_____ 1. el derrame de petróleo

_____ 2. el agujero en la capa de ozono

_____ 3. la fábrica

_____ 4. el águila calva

_____ 5. el aerosol

_____ 6. el recurso natural

_____ 7. la foca

_____ 8. el vidrio

_____ 9. la ballena

_____ 10. el desperdicio químico

## 10 Protejamos el planeta

Complete las siguientes oraciones con la palabra apropiada de la lista.

peligro de extinción    agotarán    conservar    aerosoles
calentamiento global    escasez    a menos que    energía solar

1. Los _____ dañan la capa de ozono.

2. Hay muchos animales en _____.

3. Es importante _____ los recursos naturales.

4. Muy pronto se _____ los recursos naturales.

5. Tenemos que aprovechar la _____.

6. _____ cuidemos el medio ambiente, la atmósfera se contaminará.

7. Con la contaminación de la atmósfera, hay más _____.

8. Tenemos que buscar energías alternativas para solucionar la _____ de recursos naturales.

## 11 Los problemas de nuestro planeta

Escriba un breve párrafo sobre los problemas que a Ud. más le preocupan sobre el planeta y cómo se podrían solucionar.

_____

_____

_____

_____

_____

_____

_____

_____

## 12 Dudas y sugerencias

Complete las siguientes oraciones, usando la forma apropiada del subjuntivo del verbo entre paréntesis. Siga el modelo.

MODELO   Es importante que nosotros <u>busquemos</u> energías alternativas. (buscar)

1. Espero que ellos _____ conservar energía. (poder)

2. Dudo que tú _____ que usar aerosoles. (tener)

3. No creo que nosotros _____ un águila calva en el viaje. (ver)

4. Mi madre quiere que yo _____ de voluntario. (trabajar)

5. Te sugiero que _____ energía solar. (usar)

6. Es imposible que ella _____ cómo evitar el calentamiento global. (saber)

## 13 Cuidemos el medio ambiente

Escriba oraciones, usando el subjuntivo y la información que se da. Siga el modelo.

MODELO   yo / esperar / tú / reciclar vidrio y latas
         <u>Espero que recicles vidrio y latas.</u>

1. molestarme / haber / derrames de petróleo

   _____

2. ser una lástima / la ballena / estar en peligro de extinción

   _____

3. ojalá / no agotarse / los recursos naturales

   _____

4. a menos que / Uds. / conservar energía / agotarse los recursos naturales

   _____

   _____

## 14 Discurso ecológico

Imagine que Ud. trabaja con un grupo de voluntarios para proteger el medio ambiente. Tiene que dar un discurso sobre lo que deben hacer los nuevos voluntarios. Use al menos cinco expresiones de la caja y el subjuntivo para escribir su discurso.

Espero que    Es bueno    Es necesario
Es una lástima
Es importante    Me molesta    Ojalá
Para que    Tal vez    Me alegra

_____

_____

_____

_____

_____

_____

_____

_____

_____

_____

_____

_____

## 15 Un cartel del futuro

Prepare un cartel sobre el futuro. Puede ser sobre su futuro personal, con la carrera que Ud. quiere estudiar y el trabajo que le gustaría tener, o sobre el futuro del planeta, con los avances tecnológicos o los problemas del medio ambiente.

Su cartel debe tener un título, ilustraciones o fotos, y un texto para cada foto, describiendo sus deseos para el futuro. Muestre su cartel a la clase y explique qué ha querido expresar con él.